# Las crónicas de Elia de Gareth

**Las crónicas de Elia de Gareth, Volume 1**

Antonio Carlos Pinto

Published by Antonio Carlos Pinto, 2024.

This is a work of fiction. Similarities to real people, places, or events are entirely coincidental.

LAS CRÓNICAS DE ELIA DE GARETH

**First edition. March 31, 2024.**

ISBN: 979-8224253449

Written by Antonio Carlos Pinto.

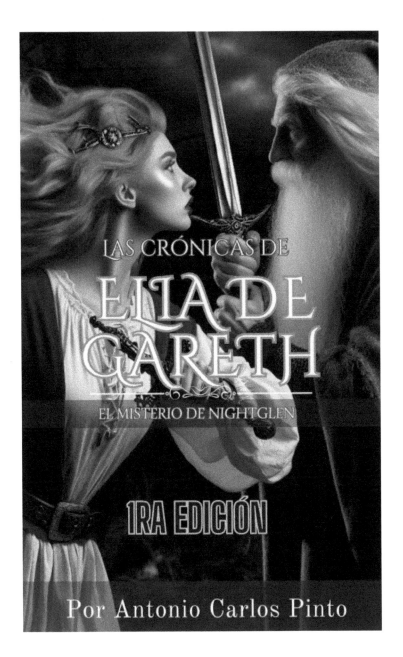

LAS CRÓNICAS DE

# ELIA DE GARETH

EL MISTERIO DE NIGHTGLEN

## 1RA EDICIÓN

Por Antonio Carlos Pinto

# Las crónicas de Elia de Gareth

Las crónicas de Elia de Gareth, Volumen 1 - Antonio Carlos Pinto.

Esta es una obra de ficción. Las similitudes con personas, lugares o eventos reales son pura coincidencia.

Las crónicas de Elia de Gareth

Primera edición. 1 de marzo de 2024.

Escrito por Antonio Carlos Pinto.

# resumen

4

# Dedicación

Dedico este libro "Las crónicas de Elia de Gareth", a todos los corazones aventureros que han seguido el viaje desde el primer volumen de la historia original. Esta obra titulada "Las crónicas de Elia de Gareth" es una continuación de la historia "(TWOS)" y marca el comienzo de la primera edición de la creciente serie "La Bruja de Shadowthorn". Es para ustedes, lectores incansables, que esta nueva versión fue escrita y dedicada con todo mi amor y gratitud.

A los valientes lectores que me han seguido desde el inicio de la serie, siguiendo a los personajes en sus luchas y triunfos, esta dedicatoria es especialmente para ustedes. Ustedes son los verdaderos héroes de esta saga, ya que su incansable apoyo y entusiasmo me han impulsado a seguir contando esta historia.

A los lectores que emprenden el viaje en esta primera edición de "Las crónicas de Elia de Gareth", espero que encuentren un mundo mágico y lleno de misterios que los cautive desde el primer momento. Que cada página de este libro te lleve a un viaje emocionante e inolvidable lleno de nuevos elementos y giros.

Dedico este libro a todos aquellos que se perdieron en las sombras de NightGlen, que enfrentaron peligros y desafíos junto a los personajes, tanto en la historia original como en esta nueva versión. Que la magia y el encanto de este mundo ficticio toque vuestros corazones y despierte vuestra imaginación, ahora reinventada para una nueva temporada.

También me gustaría expresar mi agradecimiento al equipo editorial del distribuidor (D2D Print) que hizo posible la creación de esta nueva versión. Su arduo trabajo y dedicación son invaluables y estoy agradecido por la oportunidad de reimaginar y compartir esta historia con el mundo.

Finalmente, dedico este libro a todos los amantes de la fantasía, soñadores, aventureros en las páginas de los libros. Que "Gareth's Elia Chronicles" sea un emocionante punto de partida para esta temporada, un refugio para vuestras almas y un portal a un universo renovado lleno de magia y emoción.

Con sincero agradecimiento y cariño,

Antonio Carlos Pinto.

# Título

"Entre los hilos entrelazados de la magia y las sombras que danzan en el crepúsculo, las familias Shadowthorn y Gareth emergen como guardianes de antiguos secretos y herederos de destinos entrelazados. En el corazón de este universo encantado, donde los hechizos se entrelazan con las profecías, la saga de "Las crónicas de Elia de Gareth revelan los hilos mágicos que dan forma al destino y entrelazan los linajes de NightGlen y Grammaria. En cada página, se desarrolla una historia, donde la magia se entrelaza con los lazos familiares y la oscuridad es desafiada por la luz que emana de los corazones. Sin miedo. Entra en este reino de encantamiento, donde las palabras son hechizos y el pasado se fusiona con el presente, en la búsqueda de respuestas que resuenan a través de los tiempos.

# Presentación

Estimados lectores, ¡prepárense para profundizar en las páginas encantadas de "Gareth's Elia Chronicles" y regresar a la fascinante NightGlen!

Bienvenido a otra emocionante aventura, donde los misterios de la familia Shadowthorn resuenan a través de los oscuros pasillos de las crónicas de Ela de Gareth. En esta nueva edición, prometemos descubrir secretos aún más profundos y atractivos.

En nuestro viaje, guiados por el ojo perspicaz de Elia, descubriremos los enigmas ocultos que impregnan NightGlen, explorando sus rincones más oscuros y sus paisajes más impresionantes.

Prepárate para emocionantes giros y vueltas mientras enfrentamos batallas épicas y dilemas morales que desafiarán a nuestros héroes en cada paso del camino.

Pero no se equivoquen, queridos lectores, porque no es sólo la acción lo que nos espera en estas páginas. Entre las sombras de la noche, florece el romance, especialmente entre Elia de Gareth y Darius Shadowthorn, cuyos destinos están inextricablemente entrelazados.

En esta nueva saga, se desenterrarán antiguos secretos y las elecciones de los personajes darán forma al destino no sólo de ellos mismos, sino de todo el reino de NightGlen. Así que prepárate para un viaje de descubrimiento y emociones intensas, donde ningún secreto quedará intacto y el futuro de todos estará en juego.

Echa a volar tu imaginación y únete a nosotros en este increíble viaje a través de Las crónicas de Elia de Gareth, donde cada capítulo es una nueva página convertida en lo desconocido.

# Prefacio

Queridos aventureros y almas perdidas, permítanme entregarles una historia de amor, una narrativa llena de magia y la lucha entre el bien y el mal, teñida con la esencia que se encuentra en Las crónicas de Elia de Gareth...

Prepárate para embarcarte en una aventura inolvidable en NightGlen, un lugar donde los límites entre la realidad y la fantasía se difuminan, donde las batallas internas y externas se fusionan con las pasiones más apasionantes.

Todo comenzó cuando decidí dejar mi hogar, rompiendo los límites de la monotonía en busca de sabiduría y poder en la reconocida Escuela de Magia Nightglen. Fue allí donde el destino trazó nuestros caminos y apareció ante mí Darius, un guerrero cuyos encantos desafían las leyes mismas de la naturaleza. Un hombre de belleza magnética, sus ojos azules brillaban como universos pequeños y vibrantes. Quedé cautivado por su presencia, en un entrelazamiento de encanto y misterio.

Sin embargo, pronto descubrí que llevaba consigo el peso de un linaje maldito conocido como Daarzak, marcado por las sombras desde tiempos inmemoriales.

¿Maldito o bendecido estaba Darius Shadowthorn? Esta es la historia de un amor que me hizo vivir y morir al mismo tiempo. Un amor que me llevó a las alturas de la felicidad y a lo más profundo de la desesperación. Un amor que desafió las leyes de la magia y el destino, y juntos enfrentamos las turbulencias de esta herencia maldita, un cataclismo de emociones y preguntas en nuestra existencia.

Esta historia mezcla momentos de gloria y desesperanza, un intrincado juego de luz y oscuridad que se desarrolla de manera impredecible. Pero cuando todas las adversidades parecen condenadas al fracaso, finalmente alcanzamos la esencia del amor verdadero, haciendo que cada obstáculo y sacrificio valga la pena en su irreverencia trascendente.

Sin embargo, ha llegado el momento en que creemos tener el poder de romper la maldición de Daarzak, en un intento desesperado por liberar a Darius del antiguo yugo que lo ha aprisionado durante tanto tiempo... Sin embargo, sin despedirse como es debido, partió hacia bien, partiendo sin mí, llevándote mi corazón, nuestros sueños y planes, dejándome sólo un fruto como prueba tangible de este amor.

Ahora, aquí me encuentro, inmerso en mis crónicas, cuestionándome nuestro incierto destino, si existe la posibilidad de un reencuentro, si la oscura verdad detrás de nuestra separación saldrá a la luz y, sobre todo, si las sombras que nos rodean saldrán a la luz. ¿Permitirnos finalmente alcanzar la paz que deseamos?

Estas respuestas, queridos lectores, se revelarán a medida que se embarquen en este viaje exuberante e inmersivo que comienza aceptando la imprevisibilidad, la ambigüedad y la complejidad del mundo mágico de NightGlen desde la nueva perspectiva de Elia de Gareth...

# Prólogo

Elia de Gareth residía en un tranquilo pueblo llamado Grammaria, rodeado de verdes y soleadas colinas. Junto a su madre, Isadora, una hechicera de la naturaleza, vivieron una vida serena y sin preocupaciones. Sin embargo, por razones desconocidas, Isadora decidió mantener a Elia alejada del reino mágico de NightGlen durante un período prolongado de tiempo...

Así, Elia creció, sin imaginar sus orígenes mágicos, creyéndose una niña normal y corriente. Su madre fue astuta al guardar todos los secretos de NightGlen, así como los poderes que compartían, manteniendo todo oculto.

Sin embargo, tan pronto como los poderes mágicos de Elia comenzaron a manifestarse y escapar de su control, Isadora decidió revelar toda la verdad. El resultado fue sorprendente: Elia era la heredera de la magia de la luz, con habilidades que era necesario dominar para no sucumbir a las artes oscuras.

Preocupada por no poder guiar a su hija y ayudarla adecuadamente, Isadora tomó una decisión difícil: enviarla a NightGlen, donde podría vivir con Joe Gareth, su padre separado, que no la veía desde hacía mucho tiempo.

Elia, acostumbrada a la vida pacífica de Grammaria, se encontró indecisa sobre dejar todo atrás y entrar en una nueva realidad en NightGlen. Extrañaría a sus amigos, las fiestas del pueblo y los tranquilos paseos por el valle bajo el sol radiante.

Sin embargo, la curiosidad de Elia por desentrañar los misterios de NightGlen y su deseo de conocer a su padre y el mundo mágico hablaban más fuerte. Así que se embarcó en un emocionante viaje desde Grammaria hasta NightGlen, un viaje que cruzaría otros tres pueblos antes de adentrarse en las misteriosas fronteras de NightGlen...

De cara al camino desconocido, Elia se ajustó el cuello del abrigo verde esmeralda que su madre le había regalado, alejándose de Grammaria y despidiéndose de la suave luz que iluminaba las calles del pueblo. Navidad. El sol, que siempre había brillado radiantemente, desapareció lentamente en el horizonte, y un ligero nerviosismo comenzó a aparecer mientras seguía las huellas del camino hacia lo desconocido.

Después de un tiempo en el camino, aparecieron los primeros rayos de la luna, proyectando su luminiscencia en el camino cuando Elia pasó por el primer pueblo, Willowbrook. Las casas de madera parecían esconder historias sencillas, pero Elia no pudo evitar cuestionar la decisión que tomó. Las sombras jugaban entre los árboles y una voz interior susurraba dudas como una brisa fría que sacudía su confianza.

La segunda aldea, Whispering Pines, apareció con sus luces parpadeantes, como estrellas distantes. Elia captó el reflejo de la luna en las ventanas, perdiéndose en profundos pensamientos. La inseguridad de Grammaria la envolvió, pero fue la curiosidad lo que la empujó hacia adelante. A cada paso, la lejana aldea se convertía en una hazaña inalcanzable, una decisión irrevocable.

Y entonces, la tercera aldea, Misthaven, apareció en el horizonte. Un escalofrío recorrió la columna de Elia cuando un búho se posó en un árbol cercano, mirándola con ojos penetrantes como si fuera una señal. Las dudas sacudieron su mente mientras el sonido de las ramas crujía con la brisa nocturna.

El conflicto interno se hizo más intenso a medida que se acercaban las costas de NightGlen. La luz de la luna iluminaba el camino, pero la oscuridad que los aguardaba era densa. Elia reflexionó sobre todo lo que había dejado atrás y sobre lo desconocido que la esperaba, entre la seguridad de Grammaria y las incertidumbres de NightGlen.

El carruaje continuó, cada kilómetro llevando a Elia a un destino cada vez más enigmático. El miedo y la curiosidad se fusionaron, formando un nudo apretado en su pecho. Estaba a punto de entrar en NightGlen y lo desconocido la esperaba con sus sombras y secretos.

# Las costas de NightGlen

En el ocaso de la memoria, me encuentro inmerso en las páginas de mi propia historia. Soy Elia de Gareth y ahora te invito a embarcarte conmigo en un viaje más allá del tiempo, mientras recuerdo los momentos que dieron forma a mi viaje.

Permíteme guiarte por los callejones de mis recuerdos, donde cada detalle es una crónica viva, tejida con las líneas del destino y los matices de la emoción...

Recuerdo vívidamente un momento extraordinario mientras estaba en las orillas de NightGlen. Mi carro se deslizó suavemente alejándose del resplandor celestial que una vez calentó mi corazón.

Instantáneamente, la atmósfera a mi alrededor cambió, transformándose en sombras danzantes, como si tuvieran vida propia, envueltas en una magia antigua y desconocida.

Ante mí se desarrolló una escena nocturna de árboles centenarios y senderos sinuosos, cada paso profundizando el encanto que impregnaba este misterioso reino.

Los primeros momentos antes de entrar a NightGlen fueron como sumergirse en un océano de misterios. El miedo persistía en mis ojos, pero la curiosidad me obligó a explorar lo desconocido. Criaturas nocturnas, escondidas en las sombras de los árboles, me observaban con ojos brillantes, guardianes silenciosos de este dominio mágico.

Mi padre separado, Joe Gareth, me esperaba en ese lugar mágico. Mi corazón late con anticipación mientras el carruaje atraviesa densos bosques y claros enigmáticos. Cada árbol parecía llevar consigo una historia antigua, y los susurros del viento hacían eco de secretos guardados durante siglos.

La luz de la luna continuó guiándome, ofreciéndome una vista etérea del paisaje nocturno cuando llegamos a las costas de NightGlen. La curiosidad convirtió mi miedo en fascinación, ansiosa por desbloquear los misterios que rodean mi linaje mágico.

¡Finalmente, el carruaje llegó al borde de NightGlen! Sin embargo, una densa oscuridad envolvió instantáneamente el bosque, mis pensamientos volaron como hojas en el viento. Intenté calmar mi mente, pero algo más poderoso me envolvió, como si el destino me susurrara al oído en un idioma desconocido.

La incertidumbre se apoderó de mi corazón mientras enfrentaba la decisión de bajar del carruaje. La oscuridad ante mí susurró secretos insondables para que negara la luz interior. ¿Qué pasa si me pierdo en estas sombras? Mientras intentaba concentrarme en la luz distante de Grammaria, dudé.

Bajé las escaleras del carruaje, mis ojos brillaban a la tenue luz de la luna. Ante la lúgubre entrada de NightGlen, un incómodo escalofrío me envolvió. La brisa helada me quitó el aliento, pero extrañamente, la angustia en mi pecho permaneció inexorable.

Mientras miraba la entrada de NightGlen, ¡algo en el Bosque Oscuro llamó mi atención! Una figura misteriosa se movía entre los árboles, escapando de la luz de la luna de la noche, proyectando sombras danzantes envueltas en misterio y medio mirando en mi dirección...

Me quedé congelado ante esta visión intrigante, vacilando, mi corazón saltaba de incertidumbre y miedo. Una presencia oculta en el Bosque Oscuro pareció llamarme, una fuerza desconocida que despertó mi curiosidad y aprensión.

Mientras miraba la misteriosa figura moviéndose entre las sombras del Bosque Oscuro, sin darme cuenta de su verdadera identidad, mi corazón se hundió en mi pecho. Los pasos sigilosos resonaban a lo lejos, como si la misma noche conspirara para ocultarlos y no revelarme su rostro.

Sólo cuando me alejé un poco de la entrada de NightGlen, pude ver un tipo de elfo del bosque oscuro que emergió de su escondite para enfrentarme. Sus ojos brillaban con un brillo enigmático e inescrutable, mientras una sutil sonrisa curvaba sus labios. La presencia oscura, envuelta en un aire de misterio, parecía haber encontrado su propósito al verme.

Yo, inconsciente de su futura identidad, me sentí atraído por el encanto sobrenatural que impregnaba sus acciones. La curiosidad me llevó hasta aquella misteriosa figura, impulsada por su inexplicable magnetismo.

Mientras caminaba hacia el Elfo, un hechizo se desarrolló en el aire, uniendo pasado y futuro en una danza de destinos entrelazados. El viento susurró una profecía en mi oído, prometiendo secretos guardados en las páginas ocultas del tiempo.

Sin darme cuenta, entré en una red de eventos aún por suceder, donde el Elfo del futuro me perseguía. El encuentro entre nosotros fue un misterio que trascendió los límites del entendimiento humano, una danza cósmica que desafió los límites de la razón.

El destino, trazado por los arcanos del tiempo, creó un encuentro fortuito entre nosotros dos incluso antes de llegar a NightGlen. La armonía cósmica exigió que nuestros caminos se cruzaran, revelando secretos que aún no estaban listos para ser revelados.

A medida que nos acercábamos, las sombras que envolvían al Elfo del Bosque Oscuro parecieron disiparse gradualmente, revelando la esencia de su verdadera naturaleza. Sin embargo, el velo del tiempo mantuvo su destino como un enigma, impidiéndome comprender plenamente su propósito en mi viaje.

Aunque mi mente luchaba por descifrar los misterios que rodeaban al Elfo, mi corazón estaba a la vez asustado y fascinado por el aura de encantamiento que lo rodeaba. Era como si un pájaro nocturno se sintiera atraído por la luz de la luna, aunque sabía que su camino sería incierto y lleno de peligros.

Así, me preparé para el inminente encuentro con el Elfo del bosque oscuro, ajeno a que el hilo del tiempo nos unía inexorablemente. No podía imaginar las pruebas que nos esperaban, ni las revelaciones que enfrentaríamos, pero estaba lista para explorar este camino mágico y desconocido que tenía ante mí.

Quizás por eso me detuve en las orillas de NightGlen.

Pero una pregunta flota en el aire como una nube enigmática sobre mí. Mi destino parece entrelazado con el misterio del bosque, dispuesto a revelarse en las páginas ocultas de mi viaje. ¿Qué me espera más allá de esta oscura entrada?

Regresé al carruaje, sopesando si regresar a la seguridad de la casa de mi madre o dirigirme hacia la casa de mi padre, incluso cuando el viaje se hacía cada vez más incierto. Decidir sobre este umbral entre lo familiar y lo desconocido, envuelto en sombras, es un desafío. El futuro susurra secretos y yo, dividido entre la vacilación y el coraje, debo elegir mi camino.

# Llegada a NightGlen

A medida que profundizaba en las profundidades de NightGlen, una sensación de inquietud y anticipación me envolvió. Este era un reino donde la magia prosperaba, donde criaturas míticas deambulaban por los bosques antiguos y donde las leyes de la realidad parecían distorsionarse y expandirse.

El carruaje se sacudió sobre las desgastadas piedras y el sonido resonó en la brumosa noche. La luna arrojaba un brillo siniestro que apenas iluminaba el oscuro camino que se avecinaba. Mi imaginación evocaba imágenes de seres místicos acechando más allá del velo de oscuridad, esperando revelarse en una danza de encantamiento.

El aire se volvió espeso con energía de otro mundo, crepitando con poder oculto. Las sombras bailaron, retorciéndose y entrelazándose como tentáculos etéreos, mientras NightGlen me envolvía en su abrazo místico. Un coro de criaturas nocturnas saludó mi llegada, sus llamadas melódicas resonaron a través del denso bosque.

NightGlen, con sus árboles centenarios que se extendían hacia el vasto espacio estrellado, me recibió con una sensación de presentimiento y asombro. La vegetación susurraba secretos incalculables, compartiendo historias de antiguas profecías y tesoros escondidos esperando ser descubiertos.

Recuerdo tocar tierra a orillas de NightGlen por primera vez, sintiendo el pulso de la energía mística en armonía con mis poderes recién despertados. La esencia misma del reino parecía vibrar en sintonía con el latido de mi corazón, una sinfonía de posibilidades y revelaciones.

Pero en medio de la intriga de NightGlen, una inquietud todavía corría por mis venas. Ahora me encontraba cara a cara con el enigmático mundo que guardaba la clave de mi pasado y mi futuro. Caras desconocidas comenzaron a pasar a mi lado, mis ojos se llenaron de curiosidad y cautela, como si pudieran sentir el potencial dentro de mí.

El viaje me llevó a este precipicio crucial, donde los hilos de mi destino se deshicieron en un tapiz de otros destinos. Abrazando mi nueva magia y aceptando lo desconocido, di el siguiente paso, mis pasos guiados por un fuego interior que ardía más con cada momento que pasaba.

NightGlen me susurró sus secretos, prometiéndome pruebas y triunfos, misterios y revelaciones que pondrían a prueba mi determinación. En este reino de sombras, donde las fronteras de la realidad se mezclaban con los reinos de la imaginación, me embarcaría en un viaje de autodescubrimiento y enfrentaría los desafíos que me esperaban.

Entre los centelleantes destellos de la luz de las estrellas y las sombras que danzaban en las avenidas de la luna, respiré hondo. Con cada latido de mi corazón, abracé el fascinante encanto de NightGlen, lista para desbloquear sus secretos y su verdadero potencial.

Al día siguiente, en el abrazo del sinuoso camino de NightGlen, el raro invitado que era el sol se convirtió en sólo un recuerdo lejano. En el horizonte negro como boca de lobo, se estaban formando densas nubes, lo que indicaba que pronto llegaría una gran tormenta de lluvia...

Mi corazón latía con ansiedad mientras me aventuraba por el paisaje oscuro y lluvioso, donde se escondían secretos en medio de la oscuridad con relámpagos y truenos que rasgaban el cielo de aquel misterioso lugar.

Desde el interior del carruaje observaba las gotas de lluvia que caían sobre los cristales empañados que reflejaban el paisaje gris que rodeaba todo a lo largo del camino. Me recliné en mi asiento y seguí observando el paisaje mientras NightGlen pasaba lentamente a mi lado hasta llegar a mi destino.

Cuando llegué a NightGlen en un clima lluvioso, no sabía si era de día o de noche. Pero no pude evitar fijarme con emoción en las casas de piedra con techos inclinados, algunas marcadas por el tiempo, que lucían al borde del colapso.

Las tiendas con sus escaparates borrosos parecían congeladas en el tiempo, cada detalle resonaba con décadas pasadas. Una niebla baja flotaba bajo un cielo sin sol, prometiendo otro día triste de lluvia. No se parecía en nada a la frondosa, soleada y animada Grammaria que dejé atrás.

Un suspiro melancólico escapó de mis labios, anhelando el calor del sol que acariciaba mi rostro y jugaba con mi cabello dorado, un vivo contraste en medio del mar gris que me rodeaba. Anhelaba las risas de mis amigos resonando por las calles de Grammaria, donde reinaba la familiaridad y florecía la alegría. Aquí sólo reinaba el silencio y los truenos lejanos.

Todo se sentía extraño y oscurecido, aumentando la inquietud dentro de mi pecho. Mis ojos buscaron desesperadamente un rayo de luz y vida entre las monótonas fachadas de NightGlen, pero solo encontraron sombras. Era como si el sol estuviera prohibido en ese lugar.

El pueblo que una vez llamé mi hogar en Grammaria ahora parecía pertenecer a otra vida, como un sueño reconfortante del que me despertaban abruptamente. Todavía no entendía los motivos, pero aquí estaba, aventurándome con incertidumbre hacia un destino igualmente misterioso.

Cuando el viaje llegó a su fin, el carruaje tembló ante las puertas del siniestro NightGlen, rodeado de siniestros rasgos que se convertirían en mi nuevo encarcelamiento. Aparté la mirada del paisaje exterior y me preparé para desembarcar.

Al bajar del carruaje antes de llegar a la casa de mi padre Gareth, supe que crearía un problema familiar, pero sin duda sería una oportunidad para conocer mejor las calles y pueblos de NightGlen.

Mientras viajábamos por las calles estrechas y sinuosas de NightGlen, la lluvia caía incesantemente, pintando la escena con gotas plateadas que bailaban en el aire. El aroma de la tierra mojada llena mis sentidos, mientras la magia del reino se hunde entre las gotas que caen del cielo.

Las luces encendidas a lo largo de las calles proyectan una luz acogedora que disipa la oscuridad, reflejándose en los charcos de agua, creando espejos mágicos que revelan fugaces atisbos de criaturas encantadas. Entre los frondosos árboles, seres místicos esperan el momento oportuno para revelarse, jugando en medio de la tormenta con risas cristalinas.

El constante sonido de la lluvia proporciona una banda sonora de encantadoras melodías, donde la armonía de las gotas golpeando los techos crea una sinfonía única. Los relámpagos caen en el cielo, iluminando las imponentes torres antiguas que salpican el paisaje, mientras que el eco resonante del trueno encanta y asusta, creando un aura de misterio y poder.

Los habitantes de NightGlen, a pesar de la tormenta, se reúnen en pintorescas tabernas, calentados por el calor de las crepitantes chimeneas. Sus voces se unen en risas e historias, compartiendo historias de hazañas heroicas y amor abrumador, encantando mi corazón con cada palabra entrelazada.

Mientras camino por las calles empapadas, siento la magia en cada gota que corre por mi rostro. Las aceras están llenas de cristales brillantes que se forman a partir del agua de lluvia, una manifestación de la esencia misma de NightGlen. Cada paso que doy se siente como una danza en sincronía con la naturaleza, como si el reino me recibiera con abrazos húmedos y la promesa de grandes maravillas por revelar.

La tormenta adquiere un tono más intenso, truenos y relámpagos crean un espectáculo de luz y sonido que encanta y embruja, ampliando el aura mística de NightGlen. Los árboles parecen inclinarse hacia el cielo, buscando los poderes celestiales que arrojan su esplendor sobre el impresionante paisaje.

Escucho, a lo lejos, la música hipnótica de hadas cantantes. Sus delicados tonos resuenan en los campos empapados, envolviéndome en su encantadora melodía. Cada nota resuena profundamente dentro de mi alma, evocando una sensación de asombro y éxtasis que no puedo contener.

Abro mis brazos, dejando que la lluvia sagrada me bañe, absorbiendo la energía que fluye por todo el reino. Me siento conectado con NightGlen de una manera única, uniendo mi esencia con el tejido mágico que impregna la tierra. Esta tormenta, tan poderosa e imponente, es nada menos que un regalo de los cielos a este reino encantado.

Y así, mientras mis pasos continúan llevándome hacia adelante, con la lluvia alimentando la tierra y la magia rodeando cada fibra de mi existencia, me doy cuenta de que esta tormenta en NightGlen es más que una simple lluvia ordinaria. Es un símbolo de la propia fuerza y belleza de este reino de maravillas, donde naturaleza y magia se fusionan en una danza eterna y mágica.

Inmerso en la mágica atmósfera de NightGlen, recorro la última etapa de mi viaje hasta llegar a la cima de la majestuosa colina que alberga dos imponentes mansiones. La casa de mi padre Gareth está a la izquierda, mientras que la mansión de la familia Shadowthorn se encuentra en lo alto de la colina, emanando un aura de misterio y poder.

Mientras la lluvia continúa cayendo, encuentro a mi padre esperándome en la entrada de su casa. Sus ojos brillan con una mezcla de alegría y preocupación, preguntándose por qué decidí bajar del carruaje antes de llegar a casa.

Con una sonrisa de bienvenida en mis labios, explico la irresistible fascinación que NightGlen tiene sobre mí, la lluvia mágica y la necesidad de sentir el pulso del reino en cada gota de lluvia. Le explico que necesitaba absorber la energía del entorno, conectar con la magia que impregna cada centímetro de este lugar encantado.

Mi padre, Joe Gareth, estaba de pie en los escalones de piedra, haciendo eco de su palpable ansiedad en la entrada.

Sonreí, a pesar de la opresión en mi garganta y la sospechosa humedad en mis ojos. No quería agobiar aún más a mi padre, ya que él también parecía cansado después de tantos años separados. Vi las líneas de preocupación grabadas en su rostro y los mechones plateados entretejidos en su cabello oscuro. Gareth intentó sonreír cuando me vio, pero su mirada preocupada no pudo ocultarse.

El carruaje con mis pertenencias ya había llegado antes que yo a la casa de Gareth. Pero aún necesitaba descargar mis pertenencias, un solo baúl contenía mis pocas posesiones, no pude evitar notar a un enigmático joven asomándose por la ventana de la mansión vecina. Sus rasgos angulosos y sus ojos profundos me observaron discretamente. Sus ojos azules brillaron cuando se encontraron con los míos por un breve momento. Sin embargo, al notar mi mirada, se retiró a las sombras, desapareciendo como un fantasma fugaz.

"¿Quién vive ahí, papá? ¿Podría ser alguien que conocemos? Pregunté con curiosidad, señalando la ventana vacía con un ligero movimiento de cabeza.

Gareth frunció el ceño, una mirada de consternación que no había visto en muchas lunas. Una vena le palpitaba en la sien, clara señal de descontento.

"Son la familia Shadowthorn. Desafortunadamente, están familiarizados con las artes prohibidas... Sería mejor mantenerte alejado de ellos, hija mía. No son la mejor compañía para una mujer joven en este pueblo".

¿Magia prohibida? ¿Brujería siniestra, tal vez? ¿Este joven practicaba las artes oscuras, como insinuó mi padre? Un sinfín de preguntas inundaron mi mente, pero Gareth ya se dirigía hacia la puerta, indicando que este oscuro tema no sería discutido en la fría y húmeda calle. Al menos no ahora...

Más tarde, en la modesta habitación que pasaría a ser mía, reflexioné sobre las verdaderas razones que llevaron a mi madre,

Isadora, a insistir en que abandonara mi pacífica vida en Grammaria para unirme a este enigmático y oscuro pueblo de NightGlen.

Sin embargo, el cansancio del arduo viaje desde Grammaria hasta este lugar me envolvió y, antes de darme cuenta, mis ojos pesados se rindieron al sueño...

# Pesadillas oscuras

Abrí los ojos y quedé cautivada por los secretos que se revelaban a cada paso, acercándome aún más al corazón de este pueblo místico. Mientras deambulaba por las calles adoquinadas, susurros de antiguas leyendas y magia prohibida acariciaban mis oídos, dejándome sediento de más misterios de NightGlen.

En la plaza central, vi al joven de penetrantes ojos azules, hablando en silencio con una figura encapuchada que vestía ropa azul y gafas de sol. Intrigado, me acerqué, con la esperanza de captar un fragmento de la discusión.

Palabras como "profecía", "destino" y "poder latente" o algo como "el elfo del bosque oscuro viene..." resonaron en las sombras, despertando un anhelo inquieto dentro de mí. ¿Qué estaba pasando en NightGlen? ¿Qué secretos se escondían en el abrazo del pueblo?

Bajo la noche de luna, me aventuré en el jardín de la sombría mansión de la familia Shadowthorn, decidido a descubrir la verdad. Y allí apareció él, el misterioso joven, revelando que NightGlen guardaba secretos antiguos, y que mi llegada no fue una mera coincidencia. Ahora estaba en juego una profecía entrelazada con mi destino, que había durado siglos.

Las emociones y las dudas se arremolinaban dentro de mí mientras me preguntaba si tenía la clave para desbloquear los misterios de NightGlen. Una fuerza antigua pulsaba por mis venas, una conexión con algo más grande de lo que podía imaginar.

¿Ha comenzado a desplegarse ante mí el enigma de NightGlen, revelando caminos insondables? ¿Qué fue lo siguiente para NightGlen y para mí? El viaje apenas comenzaba y estaba decidido a descubrir todos los secretos que escondían las sombras de este lugar.

Esa noche, profundicé en el misterioso entorno de NightGlen. Sus habitantes compartían historias de clanes antiguos como la familia Shadowthorn, Darkthorn y Gareth, pactos oscuros y pasados olvidados. Mientras exploraba, el pueblo reveló sus facetas ocultas, sus callejuelas estrechas que ocultaban antiguos secretos.

El enigmático joven de cautivadores ojos azules, atado por tradiciones perdidas y una antigua profecía, despertó mi curiosidad. Se formó un vínculo peculiar entre NightGlen y yo, como si el pueblo mismo sintiera las mareas cambiantes que traía mi presencia. Los elementos mágicos de la profecía bailaron a mi alrededor, creando un aura etérea cargada de energía.

Sin embargo, la sombra de la familia Shadowthorn se cernía sobre mi viaje. Ellos, guardianes de oscuros secretos, ocultaban la verdad detrás de la maldición que atormentaba a NightGlen. Una fuerza antigua y dormida esperaba ser liberada, ¿y era yo la clave para liberarla?

A medida que avanzaba la noche, fui testigo de antiguos rituales y revelaciones inquietantes. Mi padre, Gareth, estuvo involucrado en estos acontecimientos de una manera que él mismo no entendía del todo. La oscuridad se hizo más profunda, revelando intrigas familiares y conflictos largamente olvidados.

Para desentrañar los misterios, me aventuré en las profundidades ocultas del bosque oscuro que abrazaba NightGlen. Bajo la pálida luz de la luna, descubrí un altar olvidado adornado con símbolos antiguos y un nombre llamado Darkthorn. ¿Estaba vinculado el destino del pueblo a esta antigua ceremonia?

Me di cuenta de que la profecía no era sólo un hilo suelto en el tapiz del destino; era una intrincada red que envolvía a todos los habitantes de NightGlen. El despertar de la fuerza dormida se acercaba y yo, involuntariamente, me encontré en el centro de esta oscura historia.

Si confrontara a mi padre sobre su papel en esta intrincada red, ¿revelaría verdades dolorosas que Isadora había evitado durante mucho tiempo compartir conmigo? Ante mí se alzaba una elección difícil: aceptar mi destino y liberar la magia antigua, o resistir, condenando a NightGlen a un destino aún más oscuro.

No había vuelta atrás, ya que el carruaje que me transportó a NightGlen ahora parecía un eco lejano del pasado. El sol, una vez en mi cara en Grammaria, estaba ausente, reemplazado por la inminente llegada de una oscuridad profunda y desconocida en NightGlen.

Mi viaje estaba lejos de terminar, y las sombras de NightGlen revelarían secretos desafiantes, no sólo de lo sobrenatural, sino también de las elecciones que darían forma al destino de la aldea y a mi propio camino.

¡Con un sobresalto, me desperté de mi sueño! Parecía como si estuviera perdido en los misterios de NightGlen y el enigmático joven de sus fascinantes ojos azules. Pero veo que todo fue sólo un sueño. ¡O tal vez una oscura pesadilla!

# Escuela de Magia NightGlen

Al día siguiente... Después de una noche mal dormida marcada por oscuras pesadillas donde una voz misteriosa susurraba palabras ininteligibles en mi oído, bajé a la sala todavía pensando en el breve vistazo que tuve del chico de ojos profundos el día. antes y sobre mis sueños. ¿Había algo en él que me intrigaba profundamente, aunque no podía identificarlo?

Tal vez solo eran historias sin fundamento para asustar a extraños, pero ¿realmente estaba involucrado en magia oscura, como había insinuado Gareth? ¡Y esos penetrantes ojos azules tenían un brillo casi hipnótico, con una profundidad inquietante! Pero por unos segundos, los vi brillar con lo que parecía curiosidad e interés cuando me vieron venir...

Mi padre ya estaba desayunando en la modesta cocina cuando entré, todavía con mi bata gastada sobre mi camisón. Gareth levantó la vista del periódico y asintió cuando me vio servir una taza de té negro humeante. El aroma de la bergamota calmó un poco mis nervios.

—Papá, ¿quiénes son exactamente los Shadowthorns? ¿Has vivido en Nightglen durante mucho tiempo? Pregunté después de un sorbo, tratando de sonar casual.

Gareth casi se ahoga con el trozo de pan que estaba masticando, tosiendo un par de veces antes de responder a mi pregunta con el ceño fruncido. Me di cuenta de que el tema le molestaba mucho.

— ¡Por los dioses, Elia! ¿Quién te habló de ellos? Es un asunto que no nos concierne...

— Nadie me dijo nada... solo escuché algunos rumores por ahí y sentí curiosidad, eso es todo. - Mentí, queriendo preservar a mi padre. ¡Y no me creería si le dijera que anoche escuché esas cosas sobre la familia Shadowthorn en un sueño!

Gareth suspiró con cansancio, reflexionando por un momento si realmente debería compartir la oscura historia de esa familia con su hija. Finalmente decidió contar una versión resumida y menos morbosa de los hechos.

— Pues son un linaje muy antiguo que ha habitado estas tierras durante muchas generaciones. Mucho antes de que nacieras y nos mudáramos aquí, ellos vivían en esa lúgubre mansión en la cima de la colina. Siempre han sido algo solitarios y reservados, rara vez van al pueblo o se mezclan con nosotros. Entonces empezaron a circular rumores...

—¿Qué clase de rumores? - aceleró mi curiosidad.

— Bueno... algunos dicen que estarían involucrados en magia oscura, rituales prohibidos y otras tonterías para asustar a los recién llegados a NightGlen. Probablemente sean sólo rumores infundados, gente celosa de su fortuna e influencia. De cualquier manera, es mejor mantenerse alejado de esta familia Shadowthorn. Al menos hasta que conozcas mejor a la gente de aquí. Y deja de escuchar todo lo que la gente dice sobre Shadowthorn.

¿Magia oscura y rituales prohibidos? Entonces, ¿podrían tener alguna base los rumores sobre el misterioso chico de la mansión vecina? Esto sólo aumentó aún más mi interés y entusiasmo. Al parecer, mis nuevos vecinos ocultaban secretos mucho más profundos y oscuros de lo que podía imaginar inicialmente...

Después del desayuno, Gareth me llevó en carruaje hasta las imponentes puertas de hierro que custodiaban la entrada a la Escuela de Magia en Nightglen.

A primera vista, era un edificio impresionante con paredes muy blancas, columnas y pilastras de mármol, así como innumerables torres y torreones con sus cúpulas puntiagudas de color púrpura. Al subir los anchos escalones de piedra hacia el vestíbulo ricamente decorado, sentí una extraña sensación de mariposas en el estómago, como si cientos de mariposas batieran sus alas al mismo tiempo.

En parte nerviosismo y en parte emoción por lo que me esperaba. Después de todo, este sería mi primer día como dominador de magia ligera en el entrenamiento oficial. Todo era nuevo y descubierto en ese momento. Incluso después de años de convivir con la magia en casa, gracias a las enseñanzas de mi madre Isadora, era diferente. Fue como entrar en un mundo totalmente nuevo y fascinante, con sus reglas y secretos.

En el interior me recibió amablemente la directora "Agnes Svarttorn", una mujer mayor, pero todavía muy ágil, con el pelo gris siempre recogido en un moño apretado encima de la cabeza. Su mirada era severa detrás de sus gafas con montura dorada, pero su voz sonó sorprendentemente dulce cuando me dio la bienvenida, esperando que me adaptara bien a la escuela.

Luego, Agnes me entregó mi kit de estudiante que contenía horarios de clases, libros de texto, un uniforme azul marino con falda a cuadros y blazer, además de otros materiales como pluma, tintero, reglas y una placa con mi nombre y mi casa. Explicó tranquilamente el funcionamiento de las casas, la división de materias y el reglamento interno. Confieso que mi cabeza daba vueltas tratando de asimilar tanta información nueva, pero hice lo mejor que pude para registrar cada detalle.

En cada materia del extenso plan de estudios, me indicaron sentarme al lado de un estudiante veterano en magia mística, quien sería el encargado de mostrarme el funcionamiento práctico de la escuela y ayudarme en este período inicial de adaptación. Y por supuesto, como necesitaba conocer ambos lados místicos y como aprendiz de magia de luz, también necesitaría entender lo contrario.

Y así fue durante ese agitado primer día de clases. Me encontraba constantemente rodeada de caras nuevas y extrañas, tratando de absorber todo lo que podía sobre el universo totalmente desconocido que era el complejo arte de la magia mística. Pociones, Transfiguraciones, Herbología, ¡tantos temas intrigantes!

En cada materia, se asignó un profesor diferente y un compañero diferente para guiarme. Todos fueron serviciales e intentaron hacerme sentir a gusto, aunque no pude evitar cierta timidez y vergüenza por ser el centro de atención. Mi tutor en la clase de Herbología, Edgar, un niño risueño, tuvo que empujarme un par de veces para que respondiera las preguntas del profesor.

— ¡Vamos, no tengas miedo! El profesor Strickland puede parecer gruñón, pero en el fondo es un buen tipo. - susurró Edgar con una sonrisa alentadora.

Finalmente logré relajarme un poco e incluso redactar algunas respuestas, para satisfacción del profesor. Poco a poco fui conociendo ese nuevo universo, y ya no me parecía tan aterrador. Hasta cierto punto...

Hasta que, para mi gran sorpresa, al entrar a la recién renovada pero aún poco iluminada sala de Pociones, abajo en las mazmorras, la persona elegida para ser mi tutor y compañero en esa materia no era otro que el misterioso joven de Shadowthorn Manor que había Visto en la ventana el día de mi llegada a NightGlen.

Cuando el profesor Slughorn le pidió que se presentara adecuadamente al recién llegado a la aldea en la cima de la colina, el niño se levantó de su escritorio al fondo de la habitación, alisándose su túnica negra con un gesto casi ensayado. Luego, me miró directamente a los ojos con una mirada azul tan profunda que parecía dos pozos sin fondo. Sentí un escalofrío recorrer mi espalda.

— Encantado de conocerla, señorita Elia. Soy Darius Shadowthorn. Bienvenido a la Escuela de Magia en Nightglen.

Su voz sonaba un poco ronca y profunda, pero extremadamente pulida y elocuente. Sentí mis mejillas calentarse contra mi voluntad cuando él me estrechó la mano a modo de saludo. Por un breve momento, tuve la impresión de que una corriente eléctrica recorría mi cuerpo con ese contacto.

Entonces, este era Darius Shadowthorn... el mismo chico intrigante y misterioso de la mansión vecina que había ocupado mis pensamientos desde que llegué a este lugar. El que mi padre me advirtió que evitara porque supuestamente estaba involucrado en las artes oscuras. ¿Y ahora sería mi profesor particular en las clases de Pociones en las mazmorras?

Casi no podía creer que el destino hubiera conspirado para que esto sucediera tan rápido, en mi primer día. ¿Fue realmente solo una coincidencia? ¿O había algo más detrás de esto, algún tipo de diseño del universo que quería unir nuestros caminos?

Confieso que la idea me puso la piel de gallina, sin que yo supiera si era miedo o... expectativa.

— G-gracias... — Tartamudeé tímidamente después de unos momentos de solo mirarlo con la boca abierta, tratando de recuperar la voz y articular alguna respuesta. — Es un honor tenerlo como tutor, señor Shadowthorn.

Darius asintió ligera y cortésmente, sin cambiar su expresión siempre seria e impenetrable. Pero incluso en mi vergüenza, no pude evitar notar un brillo casi imperceptible pasar por esos ojos profundos cuando me miró fijamente por ese breve momento.

Algo en su mirada misteriosa y magnética me dejó al mismo tiempo desconcertado y irremediablemente atraído. Era como si pudiera ver más profundamente dentro de mí, alcanzando secretos que ni siquiera yo conocía. Intenté deshacerme de estos pensamientos confusos cuando Darius habló de nuevo:

— Bueno, empecemos la clase antes de que el profesor Slughorn venga a regañarnos por nuestra conversación. Las pociones son un arte muy delicado y hay que estudiarlo seriamente y con total concentración. Espero que estés listo para el desafío...

Darius dijo esto con un tono de formalidad casi amenazante. Por un momento, sentí un nuevo escalofrío recorrer mi columna, mi corazón latía más rápido. ¿Podría darse cuenta del efecto abrumador que su presencia tuvo en mí? Pero luego detecté una pizca de humor apenas perceptible en su tono.

Tal vez ese misterioso joven no fuera tan intimidante después de todo. ¿O fue sólo una fachada para ocultar sus verdaderas intenciones? Con él, probablemente llevaría mucho tiempo descifrar sus verdaderos pensamientos y propósitos.

Por ahora, decidí simplemente asentir vigorosamente con la cabeza y prepararme para aprender todo lo que pudiera de este nuevo profesor privado. Secreto o no, Darius Shadowthorn despertó mi curiosidad de una manera casi embriagadora. Y estar tan cerca de él en las siguientes clases me llenó de una ansiedad delirante.

Darius comenzó a explicar con calma los ingredientes que ya estaban dispuestos en el mostrador frente a nosotros, las propiedades mágicas de cada uno y sus usos para hacer pociones curativas y otras más avanzadas.

Traté de prestar la mayor atención posible a sus instrucciones, observando cada detalle, pero no podía evitar que mi mirada se deslizara en su dirección de vez en cuando, notando cosas como el contraste entre el negro de su ropa y su muy el tono pálido de la piel, la forma casi hipnótica en que empuñaba la pequeña daga plateada mientras cortaba meticulosamente las raíces, el movimiento surrealista de sus labios mientras explicaba las recetas...

Era muy difícil mantener la concentración en la poción en sí cuando tenía una visión como ésta justo a mi lado. No importa cuánto lo intenté, mis ojos y mi mente parecían tener vida propia. Era como si ejerciera una especie de magnetismo sobre mí, atrayendo mi interés con cada gesto y palabra.

Confieso que lo encontré bastante atractivo a primera vista, incluso sin saber aún su nombre. Y ahora, al verlo de cerca y escuchar su voz aterciopelada, este interés no hizo más que crecer, adquiriendo proporciones preocupantes. Necesitaba controlar mi fértil imaginación, o terminaría enfrentando serios problemas incluso antes de completar mi primer día en esa escuela.

Mientras Darius explicaba con calma los siguientes pasos para preparar una poción curativa sencilla, yo permanecí distraído, solo asentía vagamente mientras mi mente vagaba. Hasta que, en un momento de culpable falta de atención, distraídamente dejé caer un bote entero de polvo de cuerno de unicornio en la mezcla burbujeante dentro del caldero.

Darius abrió mucho los ojos, haciéndolos parecer aún más grandes e hipnóticos, y rápidamente barrió el caldero con un rápido movimiento de su varita antes de que el desastre tomara proporciones aún peores.

— ¡Preste más atención, señora Elia! ¡Debes seguir las instrucciones cuidadosamente y con total concentración! De lo contrario, ¡puede ser muy peligroso tratar con ingredientes y pociones inestables! He visto a estudiantes decididamente más talentosos a los que les quemaron el pelo y les desfiguraron la cara por mucho menos que eso...

La voz de Darius sonó seca y aguda como un látigo, muy diferente del tono paciente y educado que había usado antes. De hecho, parecía irritado por mi descuido y tal vez incluso un poco decepcionado también. Sentí que mi cara se calentaba violentamente, esta vez por pura vergüenza. ¿Cómo podía avergonzarse el primer día de clases, especialmente delante de él?

- ¡Perdon! — exclamé completamente avergonzado. — Es que... todo es tan nuevo para mí. ¡Prometo prestar más atención!

Darius respiró hondo unas cuantas veces, tratando de recuperar la calma. Aparentemente, a pesar de su tono duro, no parecía genuinamente enojado, sólo preocupado por mi descuido en un ambiente potencialmente peligroso como una clase de Pociones.

— Está bien, empecemos de cero. Pero presta más atención, ¿vale? Es importante seguir el proceso correctamente si quieres evitar accidentes. — dijo en un tono más suave.

Sacudí la cabeza con vehemencia, mi cara todavía ardía de vergüenza. Tenía toda la razón, necesitaba concentrarme o nunca me convertiría en una verdadera bruja. Y cometer errores en la primera clase frente a él era inaceptable.

Aún sintiéndome terriblemente avergonzado por lo que había sucedido, me concentré en cada palabra de Darius para que pudiéramos comenzar a preparar la poción desde cero nuevamente, siguiendo sus instrucciones al pie de la letra. Sería un largo viaje para demostrar que era digno de estar en esa Escuela de Magia, pero no se rendiría tan fácilmente.

Especialmente ahora que conocí a Darius Shadowthorn. Por intimidante que pueda parecer a primera vista, también lo rodeaba un aura de misterio que me atrajo desde el primer momento. Necesitaba saber más sobre este chico de hipnóticos ojos azules y su participación en las artes oscuras. Además, tendría muchas más oportunidades de interactuar con él en futuras clases de Pociones. Si tuviera cuidado y mostrara dedicación, tal vez él se abriría más y me contaría algo sobre sí mismo. Estaba decidido a ganarme su confianza, incluso si me llevara tiempo...

El resto del día en la Escuela de Magia pasó volando después de esa tumultuosa primera clase de Pociones. Con cada nueva clase que tomaba, intentaba absorber todo lo que podía sobre este nuevo y extraño mundo que era mágico. La complejidad de los hechizos, la meticulosa preparación de las pociones, los usos de las más diversas plantas y hongos... ¡Todo parecía tan nuevo y desafiante!

Mis tutores me guiaron pacientemente a través de cada clase, respondiendo preguntas y guiándome paso a paso a través de la teoría y la práctica necesarias. El joven mago Edgar, hijo de la directora Agnes, siguió apoyándome en otros temas, lo que ayudó mucho a reducir mi timidez inicial. Al final del día, me sentí un poco más seguro en mi lugar como novato en esa escuela de magia.

Pero no importa cuánto intenté concentrarme en clase, mis pensamientos a menudo regresaban a Darius Shadowthorn. Sus modales oscuros y misteriosos despertaron mi curiosidad casi febrilmente. Necesitaba descubrir sus secretos, aunque no sabía exactamente por qué.

De regreso a casa, después de ese agotador primer viaje a la Escuela de Magia, durante la cena silenciosa con mi padre Gareth, hablé con entusiasmo de todos los nuevos descubrimientos, amigos y desafíos. Sin embargo, he omitido cualquier mención del nombre Shadowthorn, para evitar preocuparte innecesariamente. Todavía era demasiado pronto para emitir juicios sobre ellos.

Gareth parecía distraído, respondiendo con monosílabos, claramente en una mente distante. Después de mucha insistencia, finalmente confesó lo que le molestaba:

— ¡El Consejo está preocupado! Algunos residentes han informado de sucesos extraños que ocurrieron en el pueblo durante la noche. Parece que hay algún tipo de magia involucrada.

¿Magia nocturna misteriosa? ¿Otra posible señal de que mis nuevos vecinos ocultaban secretos mucho más allá de lo que imaginaba? Los engranajes comenzaban a moverse en mi mente curiosa. Necesitaba saber más.

Pero por ahora, ya eran suficientes descubrimientos y emociones por un día. Estaba exhausta después de tantas experiencias, personas y desafíos nuevos que enfrenté en la escuela. Lo único que quería era dormir bien por la noche antes de sumergirme en esta nueva y compleja realidad que era el universo mágico de Nightglen.

Desafortunadamente, el sueño no llegó tan fácil y pacíficamente como esperaba. La conversación sobre los misteriosos sucesos ocurridos durante la noche con mi padre Gareth no salía de mi cabeza. Y también seguía pensando en el intrigante Darius Shadowthorn, por supuesto.

Hasta que, procedente de la ventana entreabierta, escuché un suave sonido que rompía el silencio de la noche.

Como un susurro, una vibración casi imperceptible. ¿Era sólo el viento que soplaba a través de las cortinas? Impulsado por una gran curiosidad, me levanté silenciosamente de la cama y mientras me acercaba a la ventana, una brisa fresca acarició mi rostro y un suave olor a hojas mojadas impregnó el aire. Bajo la pálida luz de la luna, mis ojos encontraron un espectáculo sorprendente: una lechuza blanca, con plumas luminosas como la nieve, posada en la barandilla. Sus ojos ámbar miraron los míos con una intensidad casi humana. La majestuosa criatura parecía transmitir un mensaje misterioso, algo más allá de lo que las palabras podrían expresar. Me quedé allí, hipnotizada, por un momento que me pareció eterno.

Fue entonces cuando la lechuza levantó sus alas y voló hacia el horizonte nocturno, desapareciendo en la oscuridad. Un sentimiento de profundo significado impregnó mi ser, como si ese encuentro hubiera sido más que una simple casualidad.

Al regresar a la cama, me acosté con la mente llena de preguntas y misterios: ¿Qué representaba ese búho? ¿Fue una señal, un mensajero de los secretos que guardaba Nightglen? ¿Y el joven Darius, envuelto en su aura de misterio?

En los días siguientes profundicé en mis estudios mágicos, dedicándome diligentemente a cada disciplina. Bajo la guía de Darius, la clase de Pociones se convirtió en un desafío apasionante. A pesar de su temperamento exigente, poco a poco comencé a darme cuenta de su profundo conocimiento y habilidad en el arte de las pociones.

Nuestras interacciones, inicialmente marcadas por la tensión, se convirtieron en momentos de aprendizaje y complicidad. Darius demostró ser no sólo un hábil tutor, sino también alguien capaz de comprender los sutiles matices de la magia. Sus palabras y gestos transmitían una profunda conexión con el mundo oculto.

Paralelamente a mis estudios en la escuela, exploré los alrededores de Nightglen, tratando de descubrir los secretos que se cernían sobre el pueblo. En los archivos de la antigua biblioteca encontré fragmentos de textos antiguos, alusiones a profecías perdidas en el tiempo y rituales vinculados a la familia Shadowthorn y sus orígenes.

Una noche, mientras deambulaba por las calles silenciosas, me sobresaltó una figura encapuchada que emergió de las sombras. Era Darius, el chico de ojos azules. Su mirada era intensa, llena de significados ocultos.

— Estás más cerca de lo que crees, Elia. Las piezas del destino se están alineando. - fueron sus enigmáticas palabras.

Le pregunté sobre el búho nival y Darius sonrió, revelando un conocimiento que trascendía el entendimiento común. Explicó que los búhos, especialmente los blancos, eran mensajeros de un reino oculto, portadores de visiones y secretos.

La conversación con Darius sólo aumentó el misterio que rodea a Nightglen. Cada pista, cada encuentro, parecía tejer una trama compleja que apenas empezaba a comprender. Había una energía pulsante en la aldea, un poder latente esperando a ser despertado.

Cuando me encontré con los ojos profundos de Darius en la clase de Pociones, la sensación de que nuestro encuentro no fue sólo una coincidencia se hizo más fuerte. Había una conexión entre nosotros, algo que iba más allá de las palabras y los gestos.

Cada día profundizaba más en la búsqueda de los secretos de Nightglen, en un intento de desentrañar los misterios que rodearon mi llegada y el papel que jugué en esa trama. Y en medio de las sombras y las luces, la magia y el misterio, sentí que el destino de Nightglen y el mío estaban inextricablemente entrelazados. Y estaba dispuesto a desentrañar cada enigma, afrontar cada desafío, en busca de la verdad que me esperaba en lo más profundo de aquel enigmático pueblo.

# Poderes revelados

Una semana después, escuché nuevamente el ruido en mi habitación, al principio no vi nada más que las sombras de las ramas secas de los árboles meciéndose con la brisa nocturna. Pero entonces un movimiento llamó mi atención. Posada elegantemente en el alféizar de la ventana, una hermosa lechuza marrón me miraba fijamente con sus grandes ojos amarillentos.

Y atado a su pata, una pequeña nota enrollada. Mi corazón se aceleró. ¿Fue algún mensaje del Consejo sobre los acontecimientos de esa noche lo que mencionó mi padre? ¿O algo aún más misterioso y secreto? Con dedos temblorosos desaté la nota de la pata del búho, que ululó suavemente antes de emprender el vuelo, y leí su breve contenido:

"Querida señorita Elia, realmente necesito hablar con usted, bajo la luz de las estrellas. Encuéntreme mañana a medianoche en el jardín de la mansión Shadowthorn. Por favor, venga solo. Darius S."

¿Darius Shadowthorn me estaba convocando a una reunión secreta en su casa a medianoche? Mi corazón casi se detuvo cuando terminé de leer esas misteriosas líneas. ¿Qué podría ser tan urgente y privado? ¿Y qué pretendía revelarme bajo el velo nocturno de las estrellas?

Mil pensamientos contradictorios sacudieron mi mente inquieta mientras releía y releía la nota, sólo para asegurarme de que no había imaginado su existencia. ¿Podría este encuentro tener algo que ver con la misteriosa magia nocturna que preocupaba al Consejo y a mi padre?

Me recosté de nuevo y observé cómo la lechuza mensajera emprendía un vuelo majestuoso a través de la noche, hasta que desapareció de la vista en la oscuridad. Pero el sueño no llegó y permanecí despierto hasta que los primeros rayos de sol entraron tímidamente por los polvorientos vitrales de la habitación, iluminando levemente las paredes.

Mi cuerpo pedía descanso, pero mi mente zumbaba, llena de dudas sobre el significado de aquel misterioso mensaje. ¿Qué podría querer compartir Darius Shadowthorn tan secretamente en nuestra primera cita fuera de la escuela?

De hecho, apenas lo conocía, excepto por breves interacciones en las mazmorras durante la clase de Pociones. Y eso fue suficiente para despertar mi interés casi obsesivo por descubrir sus secretos. Había algo en esos ojos de un azul profundo como la noche que me obligaba a querer explorar sus profundidades, aunque todavía no sabía adónde eso podría llevarme.

Y ahora esta invitación nocturna a una reunión secreta en su casa... Esto sólo aumentó el aire de misterio que rodeaba a la familia Shadowthorn. ¿Podría este extraño cónclave tener algo que ver con la misteriosa magia nocturna que preocupaba al Consejo y a mi padre? ¿O se trataría de algo aún más oscuro y peligroso? ¿O simplemente quería cortejarme?

Por mucha aprensión que yo también sintiera, en el fondo sabía que cedería a la tentación. La curiosidad siempre ha sido más fuerte en mí que el miedo. Necesitaba descubrir qué secretos guardaban Darius y su familia, incluso si eso significaba desobedecer las órdenes de Gareth de mantenerse alejado de los Shadowthorns y colarse en los dominios de esos magos y brujas oscuros.

El resto del día transcurrió en agonía mientras esperaba ansiosamente el momento del extraño encuentro. Intenté ocupar mi mente asistiendo a algunas clases con Lizeth, mi nueva y querida amiga, estudiando hechizos sencillos que ya dominaba y ayudando a mi padre con las tareas del hogar.

Pero no tenía sentido, mis pensamientos siempre terminaban regresando de alguna manera a esa misteriosa nota entregada por la lechuza a medianoche. Finalmente, el sol se puso en el horizonte, dando paso al manto negro y estrellado de la noche. Era cuestión de tiempo...

Cuando el reloj de la sala marcó la medianoche, bajé en secreto, teniendo mucho cuidado de no despertar a mi padre dormido. La casa estaba en silencio, iluminada sólo por la lámpara parpadeante que llevaba conmigo. Sentí que mi corazón quería explotar en mi pecho, pero seguí decidido.

Afuera la noche era fría y sin luna.

Me moví cautelosamente entre las sombras hacia la imponente mansión en la cima de una colina donde Darius vivía con su familia. Mil pensamientos siguieron zumbando en mi mente mientras me acercaba a la majestuosa puerta de hierro elaborada con intrincados diseños de enredaderas y murciélagos.

Incluso en la oscuridad, podía ver el jardín caprichoso lleno de rosetones y otras plantas nocturnas que exudaban aromas mágicos. Un verdadero contraste con las fachadas lúgubres y la atmósfera lúgubre que se cernía sobre la propiedad. ¿Eran sólo apariencias para engañar a los temerosos aldeanos? ¿O un verdadero presagio de lo que me esperaba al traspasar esos muros?

Dudé por un momento con la mano extendida a centímetros de la fría puerta de hierro. Todavía había tiempo para volver a casa y olvidar aquel absurdo encuentro. Pero no... necesitaba saber qué quería Darius de mí. Respiré hondo para coger coraje y empujé el pesado portón, que se abrió sin el menor ruido, como si hubiera sido bien encerado.

En el interior, el silencio era casi opresivo, roto sólo por el lejano chirrido de los grillos y el crujido de las alas de los murciélagos aquí y allá. Mis pasos amortiguados por el césped parecieron resonar en la quietud del lugar. Fue entonces cuando sentí una mano cálida tocar mi hombro, haciéndome saltar del miedo y casi gritar.

— ¡Elía! ¡Cálmate, soy yo! No quería asustarte así... - vino la voz tranquila de Darius detrás de mí.

Me di la vuelta rápidamente, con la mano en el pecho tratando de calmar mi corazón acelerado. Incluso en la penumbra, su rostro pálido resaltaba, sus ojos azules brillaban débilmente mientras me miraba.

— ¡Darío! Que susto... Me pareció ver un fantasma o algo así. ¿Qué es tan urgente que no puede esperar hasta mañana?

Noté que llevaba una capa oscura con capucha, probablemente para camuflarse por la noche durante nuestra reunión clandestina. Darius miró a su alrededor con cautela antes de responder en un susurro:

— No es seguro hablar aquí. Ven, conozco un lugar donde podemos hablar sin interrupciones.

Sin muchas opciones, lo seguí mientras Darius comenzaba a colarse en los jardines detrás de la mansión. Parecía preocupado por no ser visto por nadie a pesar de que la propiedad estaba completamente en silencio.

Llegamos a un pequeño mirador aislado, cubierto de enredaderas y árboles con sombra. Una vez dentro, finalmente nos sentimos seguros para hablar en privado, lejos de miradas y oídos curiosos.

Mi corazón latía con fuerza anticipando lo que estaba por venir. Darius encendió una solitaria vela sobre la mesa de piedra tallada, proyectando sombras parpadeantes sobre su pálido rostro. Por un momento se limitó a mirarme en silencio, como preguntándose por dónde empezar.

— Imagino que tienes muchas dudas, Elia. Y estoy dispuesto a responderlas, en la medida de lo posible. Pero primero necesito tu ayuda. Es una cuestión de vida o muerte.

Tragué, vacilante. Nunca imaginé que en nuestro primer encuentro clandestino llegaría un pedido tan serio.

- ¿Mi ayuda? ¿Pero en qué podría ayudar? Apenas llegué a este pueblo...

Darius suspiró y su mirada adquirió una expresión oscura.

— Sé que es mucho pedirte confiar en alguien que acabas de conocer. Pero créanme, no habría recurrido a esto si no estuviéramos desesperados.

- ¿Desesperado? ¿Qué quieres decir?

Se acercó, sosteniendo mis manos entre las suyas más grandes y enguantadas. Sentí un escalofrío recorrer mi cuerpo ante ese contacto inesperado.

— Se trata de los extraños eventos que han estado sucediendo en Nightglen durante las noches... cosas oscuras y mortales acechan esta región. Y tú, Elia, eres la única persona en quien puedo confiar para ayudarnos a detener esta amenaza antes de que sea demasiado tarde.

Tragué fuerte, mi mente daba vueltas. ¡Así que mis sospechas eran correctas! Todo conectado de alguna manera. ¿Pero por qué podría ayudar?

— No entiendo... ¿qué está pasando exactamente? ¿Y tú qué podrías hacer para ayudar?

Darius me estrechó la mano y su mirada penetrante se encontró con la mía en la tenue luz del mirador. Sentí que mi cara se calentaba ante la proximidad.

— No puedo revelarlo todo todavía. Pero debes saber que eres especial, Elia... mucho más de lo que crees. Pronto comprenderás tu papel en esta trama. Por ahora, confía en mí.

Asentí lentamente, aunque todavía estaba atónito por todas estas revelaciones. Había tanto misterio detrás de esa familia... pero algo dentro de mí me decía que confiara en Darius.

- De acuerdo, confío en ti. Y haré todo lo posible para ayudar en todo lo que sea necesario.

El alivio inundó su rostro cuando escuchó mi respuesta. Luego, a lo lejos, oímos el suave repique de una campana.

— Necesito irme ahora, antes de que noten mi ausencia. Te lo explicaré todo pronto, lo prometo. Apenas tenga fé.

Y antes de que pudiera responder algo, Darius desapareció en la noche, dejándome con más preguntas que antes.

Suspirando, también salí de la glorieta y regresé a casa con la mente confusa. Fuera lo que fuese lo que estaba pasando en Nightglen, yo estaba irreversiblemente en el centro de ello ahora...

# Conociendo la Espina Oscura

Esa misma noche tardé mucho en conciliar el sueño. Las misteriosas palabras de Darius no salían de mi cabeza. Cosas oscuras acechan el pueblo, y yo sería el único capaz de ayudar... pero ¿cómo? ¿Es porque?

Tantas preguntas aún sin respuesta. Pero confiaba en Darius, por enigmático que fuera. Había una urgencia y sinceridad en su mirada que me convenció a creerle.

Cuando finalmente logré dormir, sueños extraños llenaron mi mente. Imágenes oscuras, susurros ininteligibles, sombras moviéndose y el nombre de una entidad cósmica pronunciado como si fuera el fin de los tiempos... Me desperté asustado al amanecer, sin entender si era solo una pesadilla o una visión de algo real de el futuro o el pasado.

A pesar de la mala noche de sueño, me desperté decidido a intentar descubrir por mi cuenta más pistas sobre estas visiones y sobre todo, descubrí las cosas extrañas que estaban sucediendo en NightGlen.

Gareth no mencionó mi breve desaparición durante la noche, para mi alivio. Después del desayuno, me dirigí a la escuela, donde encontré a Lizeth ya esperándome emocionada en la entrada.

— ¡Elía! ¿Cómo estuvo tu primera noche aquí? ¿Algo interesante que contar?

Me debatí por un momento si contarle sobre la reunión secreta con Darius, pero decidí mantenerlo en secreto por ahora.

— En realidad era bastante pacífico... ¡nada comparado con el ajetreo y el bullicio de la escuela! Y tú, ¿hiciste algo interesante?

Mientras Lizeth hablaba de su cena con su familia, yo seguía pensando en formas de desentrañar los misterios que ahora me rodeaban en aquel extraño pueblo donde mi madre me había enviado...

Había tantos enigmas y preguntas sin respuesta sobre mí desde que llegué allí. Las crípticas palabras de Darius anoche solo alimentaron aún más mis sospechas de que oscuros secretos acechaban detrás de los muros y las geniales apariencias de Nightglen.

Necesitaba saber más, aunque todavía no tenía muchas pistas sobre por dónde empezar a investigar. Podrías encontrar algunas respuestas en los libros de la biblioteca de la escuela o observando personas y lugares importantes en las calles. Resolver este misterio se convirtió en una especie de misión personal, una necesidad que iba más allá de lo racional.

La jornada escolar transcurrió con normalidad, entre clases, estudiando y charlando con mis nuevos compañeros durante los descansos. Edgar continuó apoyándome como un hermano mayor, siempre dispuesto a ayudar y responder mis dudas sobre cualquier tema. Hasta que llegó la hora de la clase de Pociones, mi momento más esperado y temido del día. Tenía miedo de volver a hacer el ridículo frente a Darius, pero también anhelaba verlo nuevamente, con la esperanza de saber más sobre él y su familia.

Para mi sorpresa, Darius no estaba presente cuando entré al calabozo. Su asiento habitual permaneció vacío, sin ninguna explicación. Lancé una mirada inquisitiva a Lizeth, quien se encogió de hombros, tan curiosa como yo.

El profesor Slughorn no mencionó su ausencia durante la clase. Apenas podía prestar atención a la poción que preparamos, imaginando los motivos de la repentina desaparición de Darius al día siguiente de nuestro encuentro secreto. ¿Fue solo una coincidencia?

Al final de la clase, todavía intrigada, decidí pasar rápidamente por la biblioteca antes de regresar a casa. Si hubiera respuestas en algún lugar, sería entre los miles de libros en los interminables estantes de madera. Comencé a recorrer los pasillos y las secciones sobre historia y asentamientos antiguos, buscando alguna mención de Nightglen o de las familias prominentes de la región, como los Shadowthorns. Hasta que, en cierto estante polvoriento, me llamó la atención una enciclopedia. Era un volumen antiguo titulado "Grandes familias de la región de Nightglen – Historia y genealogías".

¡Seguramente este libro debe contener información valiosa sobre Shadowthorn y sus antepasados! Lo saqué del estante y ya sentía que se me aceleraba el pulso. Sentí una punzada de culpa por faltarle el respeto a las reglas de la escuela de magia al abrir el libro en ese mismo momento, pero mi deseo de respuestas se hizo cargo. Hojeé el índice con dedos temblorosos hasta que encontré lo que buscaba: "Shadowthorn: un antiguo linaje entre la luz y la oscuridad". Me quedé sin aliento cuando comencé a leer, ansioso por encontrar alguna pista. El capítulo comenzó con una breve descripción de los antepasados de la familia Shadowthorn en la región, que se remonta a siglos atrás. Habitaron estas tierras mucho antes de que Nightglen fuera fundada como una aldea mágica. Repasando los párrafos, me llamó especialmente la atención una frase:

"...aunque a lo largo de los años a menudo se les ha asociado con rumores de participación en magia y rituales prohibidos, los Shadowthorn también han tenido miembros prominentes que contribuyeron al desarrollo de la comunidad mágica local. Darkthorn fue uno de los primeros Shadowthorn en ganar su lugar como honor."

¡Así que realmente había algo de verdad detrás de los rumores que escuchó sobre ellos! Pero parecía que no todos Shadowthorn seguían caminos oscuros, con excepciones aquí y allá. ¿Podría ser este el caso de Darius?

Desafortunadamente, no pude continuar mi investigación en ese momento, ya que pronto escuché pasos y voces que se acercaban. Rápidamente marqué la página y cerré el libro, colocándolo subrepticiamente en el estante antes de alejarme apresuradamente.

Por ahora, tendría que contentarme con esta pequeña información nueva, prometiendo regresar otro día para investigar más a fondo este valioso material. Al menos ahora estaba seguro de que detrás de esa familia había mucho más de lo que parecía. Necesitaba descubrir si Darius y los otros miembros actuales de Shadowthorn caían en la categoría "clara" u "oscura" dentro de su tortuoso legado familiar. ¿Y si realmente tuviera algún papel predestinado en esta larga y oscura historia, como él había insinuado...?

Desafortunadamente, en las semanas siguientes, tuve pocas oportunidades de continuar mi investigación sobre Shadowthorn. Además de la rutina de estudio escolar, ahora también necesitaba ayudar a mi padre Gareth con las tareas del hogar, ya que había estado trabajando hasta tarde en los últimos días.

Según Gareth, el consejo del pueblo se reunía con frecuencia para discutir planes de contención y vigilancia contra las llamadas "amenazas nocturnas" que preocupaban a todos. Como representante de una de las familias tradicionales locales, era llamado constantemente a estas reuniones que se prolongaban hasta altas horas de la noche.

Siempre que fue posible, traté de hacer preguntas encubiertas sobre qué estaba pasando exactamente y qué planeaba hacer el Consejo al respecto. Sin embargo, Gareth no estuvo de acuerdo y afirmó que se trataba de un "asunto confidencial" y que no debía involucrarse. Pero, por supuesto, esto sólo aumentó mi interés en investigar por mi cuenta. Algo siniestro se estaba extendiendo por Nightglen y necesitaba descubrir qué era. ¡Además de comprender de una vez por todas el papel de los Shadowthorns en todo esto y por qué Darius insistió en que yo podía ayudar!

Desafortunadamente, Darius continuó ausentándose de los días escolares en la Escuela de Magia, para mi frustración. Sus constantes ausencias comenzaron a generar comentarios y rumores entre los estudiantes. Algunos han sugerido que estaba trabajando en secreto con el Consejo para combatir las amenazas nocturnas que plagaban NightGlen.

Otros, sin embargo, susurraron rumores más oscuros, diciendo que, de hecho, Darius estaba involucrado con aquellos que causaron los siniestros eventos, planeando quién sabe qué atrocidad contra los residentes de Nightglen.

Intenté ignorar estos comentarios desagradables, pero la duda empezó a invadir mi mente. ¿Qué pasaría si Darius y su familia no fueran realmente dignos de la confianza que él depositaba en ellos? ¿Y si realmente hubiera algo de verdad detrás de estos rumores? La única manera de averiguarlo era acercándose a los Shadowthorns, pero permanecieron tan aislados y reservados como siempre. Necesitarías un muy buen plan para entrar en su círculo íntimo. Y ella estaba dispuesta a hacer lo que fuera necesario para resolver este misterio.

Esa noche, me quedé allí imaginando formas de infiltrarme en Shadowthorn. Hasta que, procedente de la ventana entreabierta, escuché un suave sonido que rompía el silencio... Era como un susurro, una vibración casi imperceptible. Entonces, se formó un clic en mi mente: ¡la solución perfecta!

Me levanté rápidamente y fui a mirar afuera. Posada elegantemente en el alféizar de la ventana, una hermosa lechuza me miraba con sus grandes ojos amarillos en la penumbra. Por supuesto, ¿cómo no había pensado en esto antes? Los búhos mensajeros siempre se han utilizado entre los magos para entregar mensajes de forma rápida y confidencial. Éste en particular parecía ya estar esperándome, casi como si hubiera respondido a mi grito mental de ayuda.

Tomé un trozo de pergamino y escribí una nota sencilla, intentando elegir mis palabras con cuidado:

"Estimada Sra. Adelaide Shadowthorn,

Me encantaría poder hablar contigo sobre temas mágicos e históricos. Sus perspectivas serían de gran valor para mejorar mi aprendizaje. ¿Podrías invitarme a tu residencia a tomar el té un día de estos? Prometo no quitarte demasiado tiempo.

Con los mejores saludos,

Elías Gareth."

Tan pronto como terminé, até la nota a la pata de la lechuza.

—Llévale esto a Adelaide Shadowthorn, por favor. Y espera la respuesta.

El pájaro cantó de acuerdo y se alejó volando en la noche. Ahora sólo era cuestión de esperar. Con suerte, esta pequeña mentira sería el pasaporte que necesitaba para entrar al círculo de Shadowthorn.

Al día siguiente, estaba terminando de desayunar cuando la misma lechuza de la noche anterior entró volando por la ventana abierta, asustando a mi padre que estaba leyendo el periódico.

— ¿Una lechuza para ti, hija mía? ¿De quién será?

Cubrí mi nerviosismo desatando casualmente la nota de la pata del pájaro.

— Debe ser un amigo del colegio... hoy en día los jóvenes también utilizan este rápido medio de comunicación.

Rápidamente me retiré a mi habitación para leer el mensaje lejos de los ojos curiosos de Gareth. Casi se me sale el corazón de la boca cuando leí las elegantes líneas:

"Estimada señorita Elia,

Me halaga su interés por nuestro legado histórico. Será un placer darle la bienvenida para una agradable tarde de té y una estimulante conversación en mi residencia...

Con los mejores saludos,

Adelaida Espino Oscuro.

¡Mi plan funcionó! Finalmente, una oportunidad de entrar en el círculo del misterioso Shadowthorn y descubrir sus verdaderas intenciones. La única pregunta ahora era: ¿estaba realmente preparado para enfrentar los oscuros secretos que encontraría en mi interior?

A pesar de mis temores, el día señalado me preparé cuidadosamente para visitar la sombría mansión Shadowthorn. Pasé más tiempo del habitual peinando mi larga cabellera dorada y eligiendo un vestido azul sencillo pero elegante. Quería dar una buena primera impresión.

Cuando me fui, le inventé a Gareth que estudiaría pociones con Lizeth. Pareció aceptar la excusa, ya que pronto se distrajo con los papeles del Consejo esparcidos sobre la mesa. La reunión de anoche parecía haberlo dejado exhausto.

Continué a pie por calles sinuosas y callejones estrechos hasta que vi el imponente edificio en la cima de la colina, con sus torres y almenas recortadas contra el cielo nublado. Tragué fuerte, tratando de reprimir el mal presentimiento que me invadió mientras respiraba esa atmósfera oscura. Pero seguí caminando decidido...

Las pesadas puertas de hierro se abrieron mágicamente cuando me acerqué, como si ya estuvieran esperando ansiosamente mi llegada. Un camino de piedras desgastadas y agrietadas conducía a las escaleras de entrada, donde me esperaba una mujer mayor vestida de oscuro y con el pelo gris recogido en un moño.

— Bienvenida, señora Elia. Soy Adelaide Shadowthorn, la matriarca de la familia. Entra, por favor. El té ya está servido.

Su voz era suave, casi melodiosa, en marcado contraste con sus rasgos severos. Seguí a Adelaide a través del vestíbulo sombrío y de techos altos hasta una habitación ricamente decorada. Ya nos esperaba una elegante mesa con dos sillas, llena de apetitosos manjares y una humeante tetera de porcelana.

Nos sentamos uno frente al otro. Adelaide sirvió en mis tazas el té llamado Clarividencia, explicando que era una variedad mágica cultivada sólo en esa región, capaz de ampliar la percepción de quien lo bebía. Vacilante, me llevé la taza a los labios y aspiré el fuerte aroma herbáceo.

— No tengas miedo, querida. Es completamente inofensivo, lo prometo. Simplemente la ayuda a ver más allá de las apariencias.

Sacudí la cabeza y tomé un sorbo tentativo. De hecho, inmediatamente sentí que mis sentidos se intensificaban, como si un velo se revelara frente a mí, permitiéndome ver más allá de las superficialidades. Los colores y los contornos ganaron más claridad y profundidad. Parpadeé un par de veces, sorprendida, mientras Adelaide me miraba con mirada satisfecha.

— Exactamente el efecto que esperaba que sintiera, jovencita. Ahora podemos hablar con nuestras mentes verdaderamente abiertas.

Tomó un sorbo lento de su taza, estudiando mi reacción sobre el borde de porcelana. Había casi un brillo de expectación en sus ojos, como si anhelara algo que yo aún no podía entender. Decidí que era hora de comenzar mi investigación:

— Lady Shadowthorn, vine aquí precisamente para aprender más sobre la historia de Nightglen y de las grandes familias, como la suya. Hay tantos detalles fascinantes que sé que sólo alguien como tú podría explicar...

Adelaide asintió, pareciendo complacida con mi iniciativa. Luego empezó a hablar sobre la fundación de NightGlen, leyendas antiguas, linajes de magos de renombre... Lo escuché encantado, aunque busqué cualquier información sobre su propia familia. Hasta que, después de un descanso para tomar más té, pregunté qué era lo que realmente quería:

—¿Y los Espinos de las Sombras? Leí que son una de las familias más antiguas de la región... ¿qué me podrías contar de su historia?

Los ojos de Adelaide brillaron levemente y una sonrisa casi imperceptible apareció en sus labios antes de continuar:

— Sí, tenemos una ascendencia realmente destacable, pero no somos los únicos que tenemos un apellido antiguo, tu familia también ha estado en NightGlen desde su fundación... Durante siglos fuimos grandes benefactores de Nightglen, a pesar de algunas ovejas negras esta Terminó generando cierta desconfianza en Gareth. Pero nuestra familia superó estos viejos estigmas hace mucho tiempo...

Habló con orgullo y arrogancia. Pero algo en la mirada de sus ojos me dijo que había más en esa versión halagadora de la historia de Shadowthorn. Mucho más de lo que Adelaide estaba dispuesta a revelar en ese momento...

Continué haciendo preguntas estratégicas, tratando de desviar la conversación hacia el supuesto "estigma" y la mala reputación del pasado de la familia. Adelaide desviaba hábilmente las conversaciones, cambiando de tema o dando respuestas evasivas. Hasta que, para mi sorpresa, otra persona entró en la habitación interrumpiendo nuestra conversación:

El Oscuro Darío Espinheiro. Se detuvo sorprendido cuando me vio, sus profundos ojos azules mirándome con una intensidad casi palpable.

— ¿Elía? ¿Qué haces aquí?

Noté que llevaba guantes y tenía algunos rasguños visibles en su rostro pálido. Como si acabara de llegar de alguna ardua tarea en el exterior.

— Tu madre me invitó amablemente a tomar un té y a una amena charla sobre historia y magia. - Le expliqué rápidamente, intentando sonar casual.

Darius lanzó una mirada intrigada a Adelaide, quien se limitó a sonreír con calma antes de responder:

— Ya casi es hora de cenar, querida. Debo llevarte a casa ahora, o tu padre podría estar preocupado.

Parecía no haber lugar para la discordia en la voz melodiosa pero autoritaria de Adelaide. Me despedí cortésmente, prometiendo visitarla más a menudo y seguí a Darius fuera de la mansión. Mil preguntas pasaron por mi mente en el camino de regreso a través del pueblo en la cima de la colina. Hasta que Darius rompió el silencio pensativo:

—¿Qué quería realmente mi madre de ti, Elia? Estoy seguro de que no se trataba sólo de hablar de acontecimientos históricos antiguos.

Me debatí si debería contarte sobre mi investigación y decidí ser honesto. Adelaide claramente ya sospechaba algo, por lo que negarlo sería inútil. Le expliqué mi búsqueda de respuestas y mi enfoque. Darius frunció el ceño, aparentemente tan intrigado como yo por las intenciones de su madre al prestarme tanta atención.

— Adelaide siempre ha sido reservada en sus verdaderas intenciones. Pero estoy seguro de que él no la recibiría así sin segundas intenciones. Cuidado, Elia... no todo es lo que parece en mi familia.

Me senté pensativamente. Tenía motivos para sospechar. Adelaide estaba claramente ocultando algo sobre el legado de Shadowthorn y quería mantenerme cerca por razones que aún no están claras.

— No te preocupes, sé cuidarme. Y también quiero saber la verdad sobre tu familia, sobre los extraños sucesos en este pueblo y en NightGlen. Algo me dice que todos estamos conectados en esto, nos guste o no. Darius parecía vacilante, pero luego suspiró con resignación.

- Quizás tengas razón. Y si ese es el caso, será mejor que estés preparado. Cosas viejas y oscuras se están moviendo en Nightglen. Pronto lo entenderás.

Tragué saliva ante esas palabras nada tranquilizadoras. Pero él no mostraría debilidad. Si estuviera destinado a ser parte de todo esto, fuera lo que fuera, enfrentaría ese desafío de frente.

Llegamos a casa y Darius pronto se despidió, citando otras tareas. Pero antes de irse, tomó mi mano y me miró profundamente a los ojos.

— Si me necesitas no dudes en llamarme, Elia. Y ten cuidado... No quiero que te lastimes intentando descubrir verdades que sería mejor dejarlas latentes.

Con esas confusas palabras, desapareció en la calle. Me quedé en la puerta por unos momentos, tratando de procesar nuestro extraño encuentro y toda la nueva información. Una cosa era segura: ahora estaba irreversiblemente vinculado de alguna manera a esa familia. Y no descansaría hasta revelar todos sus secretos oscuros y enterrados. Decidida, entré a la casa y encontré a Gareth. También era hora de obtener respuestas sobre los eventos de la noche y la participación del Consejo con Shadowthorn de una vez por todas.

Encontré a mi padre sentado a la mesa, rodeado de pergaminos con notas que inmediatamente trató de esconder al verme. Su mirada era oscura y había profundos círculos alrededor de sus ojos, señal de noches de insomnio.

— Papá, ¿qué está pasando? Y no me pongas excusas, sé que es algo serio. ¡Necesito saber la verdad!

Gareth se pasó una mano por el pelo gris, debatiendo si realmente debería involucrar a su hija en esto. Finalmente decidió contar una versión resumida de los hechos.

— Está bien, tienes edad suficiente para entender... Pero debes mantener este secreto, estos asuntos del Consejo no pueden hacerse de conocimiento público.

Estuve de acuerdo con vehemencia. Luego reveló sobre los ataques nocturnos, víctimas con heridas inexplicables, avistamientos de criaturas desconocidas... hasta la fecha, ni el Consejo ni los Shadowthorns han podido identificar o detener la amenaza.

— De ahí las constantes reuniones y patrullajes nocturnos últimamente. Intentamos defender el pueblo tanto como sea posible, pero este enemigo parece esconderse en las sombras.

Escuché todo con asombro. La situación parecía incluso peor de lo que esperaba.

— ¡Tiene que haber alguna forma de saber a qué nos enfrentamos! Si tan solo pudiéramos capturar una de estas criaturas...

- ¡Es demasiado arriesgado! — Gareth lo negó con vehemencia. — Ya hemos perdido buenos magos en el intento. Lo mejor ahora es reforzar las protecciones y esperar a que esta amenaza pase de forma natural.

No estaba de acuerdo con su actitud pasiva, pero sabía que nada haría que cambiara de opinión. Tendría que actuar por su cuenta... y tenía la sensación de que los Shadowthorns sentían lo mismo.

— Está bien, papá... prometo no hacer nada peligroso. Pero estad atentos. Y cuídese durante las patrullas nocturnas.

Gareth asintió, todavía reticente a dejarme ir. Pero tenía una nueva pista que seguir. Si estas criaturas nocturnas eran la verdadera fuente de los siniestros acontecimientos, necesitaba saber más sobre ellas.

Y conocí a alguien que podría ayudarme...

Estaba pensando profundamente mientras planificaba mi próximo movimiento. La visita a Shadowthorn Manor me proporcionó información valiosa, pero también generó más preguntas de las que podía contar. Ahora necesitaba encontrar a Darius nuevamente y compartir lo que había descubierto. Quizás juntos podamos descubrir el misterio detrás de las criaturas nocturnas y las actividades oscuras que plagaron a Nightglen.

A la mañana siguiente fui al lugar donde solía encontrarme con Darius. Esperé un rato, pero no apareció. Pregunté a algunos compañeros si lo habían visto, pero nadie parecía saber dónde estaba.

La ausencia de Darius empezó a preocuparme. ¿Le pasó algo durante sus misiones nocturnas? ¿Podría ser que estuviera directamente involucrado con las criaturas y estuviera en peligro?

Decidí que no podía esperar más. Tenía que encontrarlo y descubrir qué estaba pasando. Pasando por los callejones y calles estrechas del pueblo de montaña, me dirigí hacia la mansión Shadowthorn.

Al llegar allí me encontré de nuevo con Adelaide, esta vez en la entrada de la mansión. Ella pareció sorprendida de verme.

- EN. Elia, que sorpresa verte tan pronto. ¿Sucedió algo?

Le expliqué sobre la ausencia de Darius y mi preocupación por su paradero. Adelaide parecía genuinamente sorprendida y preocupada. Aseguró que no tenía idea del paradero de su hijo y que él no había regresado esa noche.

— Voy a movilizar a algunos familiares para buscarlo. No te preocupes, haremos todo lo posible para encontrarlo. Gracias por su preocupación, señorita. Elía.

Le agradecí a Adelaide y le ofrecí mi ayuda en la búsqueda de Darius. Ella aceptó mi oferta y dijo que agradecería cualquier información que pudiera encontrar.

Con eso, comencé a visitar el pueblo de montaña y otros pueblos de NightGlen, yendo a lugares que Darius podría frecuentar en sus misiones nocturnas. Pregunté a algunas personas si lo habían visto, pero nadie parecía tener ninguna información.

Fue entonces que recordé algo que Darius había dicho en nuestra última conversación: "Si me necesitas, no lo dudes..." Esas palabras resonaron en mi mente y me dieron una idea. Regresé a la mansión Shadowthorn y le pedí permiso a Adelaide para acceder a la biblioteca familiar. Tenía el presentimiento de que podría encontrar alguna pista sobre el paradero de Darius en los libros y documentos almacenados allí.

Ella accedió y me llevó a la biblioteca. Me impresionó la cantidad de libros y pergaminos que llenaban los estantes.

Comencé a escanear los títulos, buscando alguna pista que pudiera guiarme. Fue entonces cuando encontré un libro antiguo titulado "Las criaturas nocturnas de Nightglen: mitos y realidad". Parecía ser exactamente lo que necesitaba.

Hojeé el libro con entusiasmo, buscando información sobre las criaturas que atormentaban a NightGlen por la noche. Encontré descripciones detalladas y algunas teorías sobre su origen y comportamiento. Cuando encontré un pasaje que describía un lugar específico donde estas criaturas solían congregarse, sentí una mezcla de emoción y aprensión. Era un lugar remoto, en las afueras de Nightglen, conocido como el "Claro de las Sombras".

Decidí que era hora de ir allí e investigar. Quizás Darius estaba allí y necesitaba ayuda. Antes de partir, le dejé una nota a Adelaide explicándole mis intenciones y prometiéndole regresar con cualquier información relevante. Caminé con determinación hacia el Claro de las Sombras. El lugar estaba envuelto en una atmósfera oscura y misteriosa, y el silencio era casi tangible.

Al llegar allí me encontré con una escena inusual. Darius estaba en el centro del claro, rodeado por varias criaturas nocturnas. Parecían estar en una especie de conversación silenciosa. Asustada pero decidida a ayudar, me acerqué con cautela. Cuando Darius me vio, su mirada se iluminó con una mezcla de sorpresa y alivio.

— Élia, ¿qué haces aquí? ¡Es peligroso!

— Estaba preocupada por ti, Darius.

Necesitaba asegurarme de que estaba bien.

Él asintió agradecido, pero parecía tenso. Las criaturas parecían inofensivas, incluso curiosas por mi presencia. Darius se volvió hacia ellos y comenzó a susurrar en un idioma que no podía entender.

Fue entonces cuando me di cuenta de que Darius tenía una conexión especial con estas criaturas. Los entendía y podía comunicarse con ellos de alguna manera. Después de un rato, las criaturas se dispersaron lentamente, como si hubieran recibido alguna guía. Darius se volvió hacia mí con una mirada seria.

— Elia, necesito que me prometas que no le contarás a nadie lo que viste aquí. Estas criaturas son una parte importante de Nightglen y nuestra misión. Y ahora, más que nunca, debemos protegerlos.

Le prometí a Darius que mantendría esto en secreto y que lo ayudaría con lo que necesitara. Pareció aliviado por mi respuesta. Juntos regresamos a la aldea en la cima de la colina y, en el camino, Darius comenzó a explicarme más sobre las criaturas y su papel en la protección de Nightglen. Esta fue una parte crucial de la batalla contra las amenazas nocturnas, y Darius era el vínculo entre las criaturas y Shadowthorn.

A partir de ese momento supe que estaba involucrado en algo mucho más grande de lo que podría haber imaginado. Y estaba decidida a hacer todo lo necesario para proteger a Nightglen y descubrir los secretos que la rodeaban. Darius y yo nos convertimos en aliados en este viaje, unidos por el destino y la necesidad de enfrentar las sombras que se cernían sobre la aldea en la cima de la colina y otras aldeas de NightGlen.

# Verdades ocultas

Después de la reveladora conversación con Darius, ahora tenía una nueva pista que seguir sobre las misteriosas criaturas que aterrorizaban a Nightglen por las noches. Pero necesitaría ayuda para investigar más a fondo sin ponerme ni a otros en peligro innecesario. Y conocí a alguien más que podría ayudarme...

A la mañana siguiente, llegué a la Escuela de Magia más temprano de lo habitual, con la esperanza de encontrarme con Lizeth antes de que comenzaran las clases. Para mi alivio, la encontré ya sentada en un banco en el patio abierto, absorta en un libro misterioso.

— ¡Buenos días, Élia! Pareces preocupado... ¿Pasó algo? — preguntó Lizeth apenas me vio.

Me senté a su lado, pensando en cómo abordar el tema. Finalmente decidí decir la verdad. Algo me dijo que podía confiar en Lizeth.

Le expliqué toda la situación: las criaturas nocturnas, mis encuentros con Shadowthorn, la búsqueda de respuestas. Lizeth escuchaba todo con expresión seria, absorbiendo cada palabra.

— ¡Vaya, sabía que estabas involucrado en algo siniestro! Y quieres mi ayuda para investigar, ¿verdad? — concluyó, sus ojos marrones brillando.

Confirmé, explicándole mi plan para intentar rastrear y descubrir más sobre esos misteriosos "embrujos" que atacaron la aldea. Lizeth escuchó todo atentamente y con una pizca de vacilación.

— Parece muy arriesgado... pero pareces decidido, ¡y no voy a dejar solo a mi mejor amigo en esto! Dime qué debo hacer.

Sonreí, aliviada y agradecida por su disposición a ayudarme. Juntos ideamos nuestro plan de investigación encubierta. Comenzaríamos monitoreando lugares aislados por la noche, con la esperanza de detectar algunas de esas misteriosas criaturas reportadas por los testigos. Si lográramos ver uno, usaría hechizos de rastreo aprendido de mi padre para marcarlo mágicamente y poder seguirlo hasta su escondite.

Lizeth haría guardia a una distancia segura para asegurarse de que yo no estuviera en riesgo. Parecía nerviosa ante la idea de que yo me acercara solo al posible monstruo, pero entendió que era necesario.

— ¿Estás seguro de que no quieres que llame a Darius u otro mago con más experiencia para que te acompañe? — sugirió Lizeth aún vacilante.

— No, necesito hacer esto sin alertar al Consejo ni a los Shadowthorns. - Expliqué. — Si se enteran, querrán tomar el control de la situación y nunca llegaré a la verdad.

Lizeth aceptó de mala gana. A ella no le gustaba romper reglas ni desobedecer a sus mayores, a diferencia de mí. Por eso valoré aún más tu lealtad y valentía al ayudarme en cualquier forma.

Trabajamos todos los detalles del plan durante los descansos del día. Esa noche, después de cenar, salimos de casa y nos encontramos en la plaza central. Desde allí, nos escabullimos a una cabaña abandonada en las afueras del pueblo, colina abajo, uno de los lugares donde se rumoreaba que se habían producido avistamientos recientes.

Ocupamos posiciones estratégicas cubiertas y comenzamos a esperar, con todos los sentidos alerta. Sin embargo, después de horas sin ninguna señal de criaturas, nos vimos obligados a rendirnos y regresar a casa frustrados... Pero no íbamos a rendirnos tan fácilmente. Fue solo el comienzo de nuestra investigación encubierta.

Durante las siguientes noches, Lizeth y yo repetimos el ritual, explorando lugares diferentes cada vez. Siempre caminábamos con el corazón en la garganta, saltando al menor ruido en la oscuridad. Afortunadamente, mi padre Gareth y el resto del Consejo permanecieron concentrados en sus recorridos por el centro de NightGlen, permitiéndonos pasar desapercibidos en las zonas aisladas de las afueras.

En nuestra quinta noche de guardia, estábamos escondidos detrás de unos árboles nudosos observando una vieja casa abandonada en el borde de las últimas propiedades. El lugar exudaba una atmósfera lúgubre, ideal para albergar criaturas nocturnas. Ya estaba empezando a desanimarme después de horas de nada, cuando escuché a Lizeth gemir suavemente a mi lado. Seguí su mirada con los ojos muy abiertos hasta una de las ventanas de la casa, donde acababan de aterrizar dos figuras negras. Mi corazón casi se detuvo. Eran dos criaturas humanoides, pero con cuerpos delgados y extremidades extremadamente largas contorsionadas de forma antinatural. Su piel parecía escamosa y reflejaba un tenue brillo a la luz de la luna. Los rostros tenían rasgos deformes y ojos completamente negros.

Intercambié una mirada tensa con Lizeth. ¡Era nuestra oportunidad! Mientras mi amigo permanecía escondido allí, salí silenciosamente de detrás de los árboles y me acerqué lentamente, varita mágica en mano. Murmuré el hechizo de marcado que me enseñó Gareth, con la esperanza de golpear a uno de los seres. Sin embargo, en el momento en que la luz de la magia abandonó mi varita, las criaturas se volvieron hacia mí alarmadas, rugiendo furiosamente. Lo que más temía sucedió: ¡me descubrieron!

¡Y ahora necesitaba correr para salvar mi vida!

Rápidamente me giré para huir, escuchando los gritos enfurecidos de las criaturas detrás de mí. Mi corazón latía con fuerza mientras corría por el oscuro camino de regreso al pueblo central de NightGlen, tratando de no tropezarme con las raíces de los árboles. Afortunadamente, conocía bien ese entorno. Logré perderlos haciendo un círculo más amplio y emergiendo cerca de la plaza central, donde sabía que los miembros del Consejo todavía estarían al acecho. Me tumbé jadeando detrás de una gran fuente de piedra, intentando recuperar el aliento...

Al parecer, estos seres no se aventuraban en lugares más concurridos. Pero estuvo muy cerca... si no hubiera conocido una ruta de escape, podría haberme convertido en presa fácil de esas horribles y hambrientas criaturas.

Unos minutos más tarde, vi a Lizeth corriendo por el sendero, pálida y jadeando. Abracé a mi amiga, aliviada de verla a salvo también.

— ¡Conseguiste escapar! Pensé lo peor cuando vi esos monstruos detrás de ti...

— Afortunadamente, conozco algunos atajos en estos senderos. Pero eso fue muy arriesgado, ¡casi me atrapan!

Acordamos a regañadientes que no podíamos continuar esta investigación solos. Por mucho que quisiéramos resolver el misterio, la situación era simplemente demasiado peligrosa para nosotros.

Esa noche, después de asegurarme de que Lizeth también había llegado sana y salva a casa, me quedé dormido exhausto. Sin embargo, las pesadillas pobladas de ojos negros y gritos amenazantes no me dejaban descansar...

Por la mañana me esperaba una decisión difícil. Había llegado el momento de alertar al Consejo y a los Shadowthorns de lo que habíamos descubierto. Por mucho que hiriera mi orgullo, no podía mantener en silencio información tan crucial. Había vidas que dependían de ello.

Durante el desayuno le conté todo a Gareth, omitiendo sólo el hecho de que Lizeth y yo estábamos husmeando sin permiso. Describí las extrañas criaturas y nuestro encuentro casi fatal con ellas en la casa abandonada. Mi padre estaba muy alarmado. Dijo que convocaría inmediatamente una reunión de emergencia del Consejo para discutir esta valiosa nueva información.

—Hiciste muy bien en decírnoslo, hija mía. Estas criaturas parecen extremadamente peligrosas... ¡es un milagro que hayan escapado ilesas!

- Tuve mucha suerte. — Asentí, evitando mirarlo a los ojos. — Pero ahora puedes actuar, ¿verdad? ¿Para proteger a todos?

- Haremos nuestro mejor esfuerzo. — afirmó Gareth levantándose para irse. — ¡Quizás por fin estemos más cerca de poner fin a esta amenaza oculta de una vez por todas!

Tan pronto como se escapó, me apresuré a enviarle un mensaje secreto a Darius a través del mismo mensajero búho de antes. Necesitaba advertirle sobre las criaturas antes de que el Consejo quisiera suprimir la información.

Unas horas más tarde, recibí una respuesta de Darius programando una reunión vespertina urgente en la biblioteca de la escuela cuando estaba vacía. Mi corazón se aceleró. Era hora de unir fuerzas para luchar contra este enemigo común.

Por la noche, después de cenar, volví a salir de casa cuando Gareth estaba ocupado con el papeleo. Me escabullí por el pueblo hasta las puertas de la Escuela de Magia. Dentro, encontré a Darius esperándome entre los estantes polvorientos. Sin perder tiempo, compartí todo lo que había visto. Darius escuchó con atención concentrada, haciendo preguntas específicas. Noté una nueva determinación en sus ojos cuando terminé la historia.

—Hiciste muy bien en buscarme, Elia. Estas criaturas son peligrosas, pero juntos podemos detenerlas...

También les hablé de la reunión de emergencia del Consejo y de cómo pensaban actuar en función de la nueva información.

— No querrán que nos involucremos, intentarán tomar el control de la situación. - Expliqué. — ¡Pero no podemos permitir que esta amenaza continúe, tenemos que actuar! Darius estuvo de acuerdo con vehemencia.

— Conozco un antiguo hechizo capaz de desterrar a estas criaturas, pero es muy complejo y requiere dos magos poderosos lanzados al unísono para funcionar. — reveló Darío.

— Entonces necesitaremos practicar nuestro trabajo en equipo. ¿Dónde podemos practicar sin ser descubiertos?

Darius reflexionó un momento antes de responder:

— Hay una cabaña abandonada en el borde de la propiedad de mi familia, podemos usar este lugar sin interrupción para prepararnos.

Acordamos comenzar el entrenamiento secreto a la mañana siguiente, aprovechando que no habría clases. Salí de la escuela justo cuando el reloj marcaba la medianoche, señalando el toque de queda actual.

Por suerte logré llegar a casa sin cruzarme con nadie por las calles vacías. Gareth ya estaba dormido, lo que me permitió ir rápidamente a mi habitación también. Necesitaría estar bien descansado para la desafiante sesión de entrenamiento que tengo por delante.

A la mañana siguiente salí de casa diciendo que iba a estudiar a la biblioteca. Me dirigí apresuradamente a la cabaña en el borde de la finca Shadowthorn, donde Darius ya estaba esperando.

Pasamos horas practicando este hechizo juntos, tratando de alcanzar el nivel necesario de sincronía. Al principio tuvimos dificultades, incluso impedir que nuestros poderes entraran en conflicto. Pero después de mucho entrenamiento, finalmente pudimos realizar con éxito el hechizo contra objetivos simulados.

Ya estábamos sudados y agotados cuando paramos a descansar un poco. Sin embargo, un sentimiento de orgullo y satisfacción impregnaba el aire. Estábamos listos para usar nuestro nuevo poder contra el terrible enemigo en una emboscada bien dirigida.

Ahora sólo nos queda esperar el momento oportuno para el enfrentamiento final...

Durante los días siguientes mantuvimos nuestro entrenamiento en secreto, siempre con el pretexto de que yo estaba en la biblioteca estudiando. Mientras tanto, el Consejo y Shadowthorn organizaron sus propias búsquedas y planes para intentar combatir a las criaturas basándose en la información que yo les había transmitido. Un día, salía de la escuela cuando un carruaje negro se detuvo inesperadamente frente a mí. Para mi sorpresa, Adelaide Shadowthorn salió del interior con una expresión seria en su rostro.

—¡Adelaida! ¿Sucedió algo?

— Realmente necesito hablar contigo, Elia. Por favor entre.

Dada la urgencia en su tono, entré al carruaje sin dudarlo. En el interior, le conté a Adelaide sobre mi pacto secreto con Darius para detener a las criaturas.

— Entiendo que solo querían ayudar, ¡pero es demasiado arriesgado! Déjennos esta batalla a nosotros, los niños ya hicieron su parte. — dijo Adelaida, tomándome de las manos.

— ¡Pero entrenamos mucho, estamos listos! ¡No pueden dejarnos fuera!

Adelaide reflexionó unos momentos antes de responder:

— Quizás podamos llegar a un acuerdo... ven conmigo.

Sin más explicaciones, ordenó al carruaje que se dirigiera a la mansión Shadowthorn. Allí explicó la situación a los demás y propuso unir fuerzas.

Después de un intenso debate, aceptaron a regañadientes dejarnos participar, siempre que siempre estuviéramos bajo la supervisión de un miembro más experimentado. Era mejor que ser excluido por completo de la batalla final.

Salí de allí eufórico. Pronto pondríamos nuestro plan en acción. Y esta vez estábamos preparados para enfrentarnos al enemigo de frente, sin más escapatorias ni secretos.

Esa noche, reuní al Consejo y a los Shadowthorns para delinear nuestra estrategia. Juntos, garantizaríamos la seguridad de Nightglen una vez más.

Y esta vez tuve la oportunidad de luchar codo con codo con Darius, como su igual. Nuestra conexión crecía cada día, y pronto sería inquebrantable...

La reunión para delinear la estrategia para atacar a las criaturas duró hasta altas horas de la noche. Mapeamos todos los avistamientos recientes para identificar posibles patrones y territorios de caza.

El plan era hacer guardia en las dos casas abandonadas donde fueron vistos por Lizeth y por mí, con la esperanza de sorprenderlos en otro ataque. Una vez que aparecieran, Darius y yo usaríamos nuestro hechizo combinado para desterrar a los seres de regreso a la oscuridad.

Los otros miembros del Consejo y la familia Shadowthorn estarían a la espera en caso de que algo saliera mal. Como Adelaide había ordenado, Lizeth y yo permaneceríamos bajo supervisión hasta el momento decisivo del enfrentamiento.

La noche prevista para la emboscada, todos ocupamos posiciones estratégicas cubriendo los dos lugares probables donde aparecerían las criaturas. La tensión en el aire era palpable mientras esperábamos en tensa vigilia.

Hasta que, a lo lejos, un aullido sobrenatural resonó en la oscuridad, poniéndonos los pelos de punta. ¡Era la señal de que habían visto acercarse al enemigo! Rápidamente corrí con Darius para ponernos en posición.

Pronto vimos al menos seis de esas horribles criaturas emergiendo de la noche, hambrientas y furiosas. Pero esta vez estábamos preparados para ellos. Con un intercambio de miradas, Darius y yo comenzamos el poderoso hechizo.

Nuestras magias se entrelazaron como hilos dorados, creciendo en intensidad hasta el punto de tragarse todo el espacio. Los seres rugieron de dolor y odio cuando fueron desterrados de regreso al plano de la oscuridad.

Cuando la luz cegadora se disipó, no quedó nada más que unos pocos montones de cenizas humeantes donde una vez estuvieron las criaturas de las sombras. ¡Salimos victoriosos! Abracé a Darius, abrumada por la euforia y el alivio de la victoria. Juntos salvaremos a Nightglen una vez más. Y nuestro vínculo ahora era indestructible.

De vuelta en la mansión Shadowthorn, Adelaide incluso nos saludó con una rara y orgullosa sonrisa.

— ¡Sabía que estaban destinados a grandes cosas! Castelbruxo tiene ahora una nueva generación de héroes protegiéndolo...

Intercambié una mirada de complicidad con Darius. Nuestro trabajo como guardianes de la aldea apenas había comenzado.

La victoria sobre las criaturas de las sombras marcó el comienzo de una nueva era para Nightglen. Darius y yo fuimos reconocidos ahora como héroes y nuestra amistad se convirtió en una poderosa asociación.

Junto con los demás miembros del Consejo y Shadowthorn, comenzamos a trabajar duro para fortalecer las defensas de la aldea y prevenir futuras amenazas. Estudiamos hechizos protectores, entrenamos diligentemente y mantuvimos nuestros sentidos alerta.

Lizeth, a su vez, también encontró su papel en la lucha contra la oscuridad. Con su inteligencia y capacidad estratégica, se convirtió en parte fundamental de nuestro grupo.

A medida que pasaban los días, nuestro equipo se volvió cada vez más cohesionado. El Consejo y Shadowthorn confiaron en nuestras habilidades y nos incluyeron en todas las decisiones importantes.

Mi vínculo con Darius se hacía más fuerte cada día. Nuestros poderes combinados eran formidables y juntos éramos imparables. Durante el entrenamiento, nuestra relación era casi palpable y sabíamos exactamente lo que pensaba el otro. Además, compartimos momentos de relajación y risas. Descubrimos que teníamos mucho en común, desde gustos musicales hasta libros favoritos. Era sorprendente cómo nuestros mundos encajaban tan perfectamente.

En medio de los desafíos y peligros, nuestra amistad se convirtió en algo más profundo. Darius era mi refugio seguro, el apoyo que necesitaba en tiempos difíciles.

A veces nos sorprendemos intercambiando miradas intensas y llenas de significado. Sabíamos que había algo especial entre nosotros, algo que iba más allá de la amistad y la colaboración en la lucha contra el mal. Hasta que, una noche estrellada, después de otra patrulla exitosa por el pueblo, mientras estábamos solos en la plaza central, Darius tomó suavemente mi mano y me miró a los ojos.

— Elia, desde que nos unimos para proteger a Nightglen, he sentido algo mucho más profundo. No es sólo una conexión mágica, es algo que va más allá. I...

Fue interrumpido por un sonido inesperado: una suave risa proveniente de detrás de los árboles. Apareció Lizeth, con una sonrisa traviesa en su rostro.

— Lo siento, no pude evitarlo. ¡Pero ustedes dos estaban tardando demasiado! — dijo riendo.

Nos dio vergüenza, pero Lizeth nos tranquilizó.

— Mira, siempre supe que ustedes dos tenían algo especial. Es obvio para cualquiera que mire. Y sólo quería decirte que me alegro por ti.

Abrazamos a Lizeth, agradeciéndole su comprensión y apoyo. Ella era realmente una amiga increíble.

Darius y yo volvimos a mirarnos, sin necesitar palabras para entender lo que sentíamos. Nos acercamos y, esa noche bajo las estrellas, nuestros labios anhelaban encontrarse en un beso dulce y prometedor, pero mi timidez me hizo dar un paso atrás y reprimir el sentimiento.

A partir de ese momento, nuestro viaje se volvió aún más significativo. No sólo éramos compañeros en la lucha contra el mal, también éramos dos jóvenes enamorados el uno del otro. Juntos, enfrentamos mayores desafíos y nos volvimos aún más formidables como equipo. El pueblo prosperó bajo nuestra protección y NightGlen estaba orgulloso de tener héroes tan dedicados.

Y así, la historia de Elia y Darius, de amor y coraje, pasó a formar parte de la leyenda de Nightglen, inspirando a las generaciones futuras a creer en el poder de la unidad y la determinación.

Y, junto a Darius, sabía que podía afrontar cualquier desafío que se me presentara. Unidos por la magia y el amor, éramos imparables. Y juntos escribimos un nuevo capítulo en la historia de Nightglen.

# Baile anual NightGlen

Después de la gloriosa victoria contra las criaturas de la oscuridad, Darius y yo nos convertimos en héroes y ejemplos para toda la Escuela de Magia e incluso el secreto Consejo de Magos de NightGlen comenzó a mostrarnos un mayor aprecio.

Se organizó una gran fiesta en el salón principal de la escuela. Por primera vez, yo era el centro de atención y no el extraño recién llegado de Grammaria.

— ¡Brillante hechizo de tu parte! Espero que sigas usando tus dones por el bien de Nightglen. — dijo el profesor Horacio, levantando una copa.

Todos nos aplaudieron y felicitaron. Intercambié una mirada tímida con Darius. Todavía no estábamos acostumbrados a tantos elogios. Hasta que el director Atheneu (sustituto de Agnes) pidió silencio y anunció:

— Para celebrar aún más esta victoria de la luz, este año el Baile Anual de la escuela tendrá un significado muy especial...

Murmullos emocionados corrieron entre los estudiantes. El Baile Anual fue el evento más esperado del año, una oportunidad para mostrar nuestro mejor atuendo formal y talentos artísticos con magia.

— Estoy seguro que doña Elía y el joven Darío brillarán como anfitriones de esta fiesta. ¡Los esperaré a todos allí! — concluyó el director.

Tragué fuerte. ¿Anfitriones de fiesta? Esto estaba fuera de mi zona de confort. Pero a Darius pareció encantarle la idea y sonrió con entusiasmo. Y no podría decepcionarte con menos...

¡Comenzaron los preparativos para lo que prometía ser el Baile Anual más memorable de todos! En los días previos al evento, toda la escuela estaba llena de planes y ensayos. Los profesores de música prepararon presentaciones especiales, mientras que el maestro de artes mágicas supervisó la decoración del salón principal con hermosos arreglos flotantes de flores y velas.

Estaba muy entusiasmado con la perspectiva de abrir ese baile junto a Darius. Nunca tuve mucha habilidad con el baile o la música, siempre preferí la discreción a ser el centro de atención. Sin embargo, mi amiga Lizeth notó mi nerviosismo y trató de tranquilizarme:

— ¡Lo harás bien, Élia! Eres la heroína del momento, ¡todos te amarán!

— El problema no es la atención... ¿y si tropiezo u olvido mis pasos delante de todos?

— Estoy seguro de que Darius te guiará muy bien. ¡Simplemente disfruta la noche!

Ella tenía razón. Con Darius a mi lado, todo estaría bien.

Los días anteriores los reservé para entrenar discretamente en mi habitación, para evitar momentos embarazosos...

La noche del baile me preparé con el hermoso vestido verde musgo con detalles plateados que Adelaide me regaló. Mi corazón dio un vuelco cuando Darius, luciendo muy elegante, vino a buscarme a casa.

— ¡Estás espectacular, Élia! —susurró besando mi mano suavemente.

Sonrojada, acepté su brazo y nos dirigimos al baile, donde nos recibieron con palmas y silbidos. Tomé una respiración profunda. ¡Sería una noche inolvidable!

Abrimos los bailes y, para mi alivio, todo salió bien. La conexión entre nosotros parecía guiar nuestros pasos sin esfuerzo. Al final recibimos una tormenta de aplausos. El resto de la fiesta fue pura magia. Por primera vez, realmente sentí que era parte de algo y que pertenecía a esa escuela, como si finalmente estuviera en casa.

Después de abrir oficialmente el baile con Darius, finalmente pudimos relajarnos y disfrutar de la fiesta como dos jóvenes comunes y corrientes, sin presiones ni deberes. Fue un sentimiento maravilloso. Mientras saboreábamos el delicioso ponche mágico que formaba burbujas multicolores, veíamos a nuestros compañeros bailar emocionados al son de la banda contratada para amenizar la noche. Incluso Lizeth, siempre tan tímida, encontró pareja y ahora daba vueltas por la pista de baile sonriendo. Me alegré de verla también divertirse en esa noche especial. Definitivamente lo luciría cuando fuera su turno de abrir el baile el año siguiente.

En algún momento, empezó a sonar una canción más lenta. Darius me extendió la mano con una reverencia:

— ¿Me concede este baile, doña Elia?

- Sería un placer. —Respondí sonrojada, aceptando.

Nos unimos a las otras parejas que ya estaban dando vueltas por la habitación ricamente decorada, abrazándose. Al final de la canción, Darius se inclinó para darme un suave beso en los labios. Fue como magia, un momento perfecto que recordaré para siempre.

La noche de fiesta terminó rápidamente y antes de que nos diéramos cuenta ya era hora de volver a casa. Mientras caminábamos de la mano de regreso a casa, Darius comentó sonriendo:

- ¡Ese fue el mejor Baile Anual de todos los tiempos! No puedo esperar por el próximo... y por todos los que todavía tenemos juntos por delante.

Yo también sonreí, radiante. Esa noche marcó un nuevo capítulo en nuestras vidas, lleno de esperanza y posibilidades. Juntos, Darius y yo viviríamos grandes aventuras y también crearíamos nuevas tradiciones en Nightglen. Nuestro futuro era tan brillante como la luna llena que nos iluminó esa noche mágica.

En los días posteriores al regreso a casa anual, una atmósfera de optimismo y esperanza parecía flotar sobre toda la escuela y NightGlen. Fue como si la nube oscura finalmente se hubiera levantado de ese lugar, permitiéndonos vislumbrar todo el potencial y la alegría que existía en nuestra comunidad. Incluso los profesores más groseros y exigentes como el Sr. Colebrook parecían más benévolos, recibían menos puntos por infracciones tontas e incluso elogiaban a estudiantes a los que antes sólo criticaban.

A Darius y a mí a menudo nos detenían colegas en los pasillos o patios que querían hablar de nuestras heroicas aventuras. Algunos incluso pidieron consejos sobre cómo algún día convertirse en magos tan poderosos como nosotros.

— De hecho, creo que nuestra fuerza proviene del trabajo en equipo y de la esperanza. Cada uno tiene algo único que aportar. — Se lo expliqué a un grupo de jóvenes.

Darius estuvo de acuerdo, enfatizando la importancia de cultivar nuestras cualidades en lugar de competir. Queríamos ser ejemplos positivos para esta nueva generación. Incluso Orión, siempre tan burlón, parecía tratarme con más cortesía y respeto desde su victoria contra las criaturas de las sombras.

Incluso me saludó un día en los jardines de la mansión de su familia cuando salía de una sesión de estudio con Adelaide.

— Veo que estás bien, Elia. — dijo de pasada. —Tal vez heredó más sangre Shadowthorn de lo que pensábamos...

No entendí lo que quiso decir con heredar más sangre de Shadowthorn, pero como la coexistencia con Shadowthorn se ha vuelto más amigable desde nuestra victoria, es mejor dejar de lado la declaración de Orión. Especialmente porque Adelaide y Orion, especialmente, mostraron un mayor respeto hacia Darius y hacia mí. Era como si unirse para proteger a la comunidad NightGlen hubiera creado vínculos que antes parecían imposibles.

Una rara tarde en la que salió el sol en NightGlen, mientras yo estudiaba en la biblioteca, Adelaide se acercó con una sonrisa sincera.

— Elia, me gustaría agradecerte por todo lo que hiciste por nosotros y por Nightglen y especialmente por Darius. Estamos muy agradecidos.

Me sorprendió, pero le agradecí su consideración. Fue reconfortante saber que nuestra unidad estaba ayudando a unir a las familias y fortalecer Hill Village y otras aldeas en NightGlen.

Darius y yo continuamos entrenando y perfeccionando nuestros poderes juntos. Cada victoria nos ha hecho más fuertes y más confiados, y los desafíos que hemos enfrentado nos han acercado aún más. Además, nuestros sentimientos mutuos crecían cada día. Estábamos más unidos que nunca, compartiendo sueños, miedos y aspiraciones. Sabía que había encontrado mi verdadero amor en Darius.

Un día, mientras caminábamos por el recinto del colegio, me tomó la mano con ternura y me dijo:

— Elia, desde que nos unimos para proteger a Nightglen, mi vida ha adquirido un nuevo propósito. Y eso es gracias a ti.

Sus palabras me conmovieron y lo abracé afectuosamente.

— También trajiste luz a mi vida, Darío. Juntos, somos imparables.

En ese momento, me di cuenta de que estaba lista para compartir mi vida con Darius de una manera aún más profunda. Y fue con gran alegría que creí aceptar su mirada y pedirme que me casara con él.

Por supuesto, él no me había pedido formalmente que fuera su novia, pero un torbellino de pensamientos corrían por mi cabeza: con la bendición de nuestros padres y la aprobación de nuestros amigos, si Darius así lo desea, comenzaremos este nuevo capítulo juntos. . Y era como si el universo conspirara a nuestro favor, ya que todo parecía encajar perfectamente.

Los días se convirtieron en semanas y las semanas en meses. Nuestro amor creció con cada momento, haciéndonos más fuertes y más seguros no sólo como individuos, sino como pareja unida por el destino.

Una tarde mágica, Darius me llevó a dar un paseo por el campo, lejos de las miradas indiscretas del colegio y del pueblo en lo alto de la colina... Encontramos un entorno idílico, con flores silvestres y un apacible arroyo que reflejaba los rayos del sol. rayos.

Ver el sol radiante en NightGlen es una rareza por aquí. Allí, Darius se arrodilló ante mí, sosteniendo una pequeña caja.

— Elia, desde que nos conocimos mi vida ha cambiado de maneras que nunca podría imaginar. Eres mi luz, mi refugio seguro. Y hoy, aquí, en este lugar tan especial, quiero hacerte una pregunta...

Con lágrimas en los ojos, interrumpí su pregunta y acepté su pedido. Fue un momento de pura magia, un símbolo de nuestro amor y compromiso mutuo.

Solo le conté la noticia a mi amiga Lizeth, pero inexplicablemente la noticia de nuestra relación se difundió rápidamente y la alegría que sentíamos era contagiosa. El colegio y todo el pueblo celebraron con nosotros, mostrando un apoyo que nos llenó de gratitud.

En los meses siguientes, los preparativos para la cena oficial que anunciaría nuestra relación ocuparon nuestros días. El colegio se unió para organizar una ceremonia digna de un cuento de hadas, con la profesora de artes mágicas encargándose de la decoración y el profesor Horácio ensayando una canción especial para la ocasión.

Lizeth y otros amigos nos acompañaron como padrinos y juntos planificamos cada detalle con esmero y dedicación. Fue una celebración no solo de nuestro amor, sino también de la unión de Nightglen como una comunidad unida.

Y por fin llegó el gran día. Bajo un cielo estrellado, rodeados de familiares y amigos, Darius y yo intercambiamos nuestros votos de amor eterno. El brillo en sus ojos cuando me miró fue prueba de que estábamos en el camino correcto.

La fiesta que siguió fue una explosión de alegría y felicidad. Bailamos, reímos y celebramos la vida y el amor que nos unieron.

A medida que avanzaba la noche, miré a Darius y sonreí. Sabía que estábamos preparados para afrontar cualquier desafío que nos deparara el futuro porque estábamos juntos.

Y así comenzamos nuestro viaje como amantes, listos para afrontar lo que se nos presente. Unidos por la magia, el amor y la fuerza de la comunidad Nightglen, sabíamos que éramos imparables. Y juntos escribiríamos una historia de amor y valentía que duraría para siempre.

# El entrenamiento

Después de los acontecimientos del Baile Anual y el anuncio de mi relación con Darius, la vida parecía volver a la normalidad en Nighglen. Pero sabía que no podía bajar la guardia. Todavía quedaba mucho que aprender si quería estar preparado para futuros desafíos.

Por lo tanto, reanudé mi entrenamiento secreto en la Torre del Bosque con el Maestro Alquimista Vladimir Shadowthorn. Incluso después de todo lo que habíamos pasado, insistió en que todavía necesitaba perfeccionar mi dominio de hechizos y pociones más avanzadas, ya que Darius ya me había enseñado los conceptos básicos en la escuela de magia.

—El mal puede regresar en cualquier momento y en cualquier forma. — advirtió una vez. — Tienes que estar preparado antes de que vuelva la oscuridad, joven Elia.

Y así pasaron las semanas entre las clases normales en la escuela, mi tiempo con Darius y las agotadoras sesiones de entrenamiento con Vladimir. Regresaría a casa exhausto pero satisfecho con mi constante progreso.

Un día, ya dominando hechizos de ataque y defensa más complejos, decidí intentar realizar un poderoso hechizo de ilusión incluso sin que Vladimir me lo pidiera. Para mi sorpresa, logré conjurar de manera realista una manada de lobos negros hambrientos que rugían y rodeaban a Vladimir por todos lados.

Tuvo que recurrir a un contrahechizo para disipar las ilusiones, y aun así le tomó unos segundos comprender lo que había sucedido. Luego me miró con una amplia sonrisa y dijo:

— ¡Excelente, Élia! Tu dominio de los hechizos de ilusión pronto rivalizará con el de los más grandes maestros que he conocido. Su progreso fue notable.

Ella sonrió, orgullosa de su raro cumplido. No podía esperar a poner en práctica todo lo que había aprendido para defender a Nightglen de cualquier nueva amenaza. Y esta vez, realmente estaría preparado para el desafío. Sin embargo, dominar los hechizos avanzados de ataque y defensa no lo era todo. Vladimir también me entrenó en otras habilidades esenciales para poder enfrentarme a las fuerzas de la oscuridad, como pociones curativas, disipar maldiciones, romper hechizos malignos y, lo más importante, oclumancia.

— Necesitas proteger tu mente de las influencias externas. - explicó una vez. — Hay quienes utilizan la lectura y el control de la mente para corromper incluso el corazón más noble.

Y así, todos los días practiqué bloquear mi mente de los intentos de Vladimir de acceder a mis pensamientos y recuerdos. Al principio, pudo superar fácilmente mis frágiles barreras mentales. Pero con el tiempo comencé a resistir por más tiempo, hasta que pude repeler por completo sus avances.

Otra habilidad que tuve que desarrollar fue la capacidad de discernir ilusiones y disfraces creados por magia negra. Vladimir me enseñó hechizos para revelar el verdadero núcleo de las cosas y las personas, detrás de los engañosos velos tejidos por la oscuridad.

Esto sería esencial para desenmascarar a los malvados sirvientes que intentaron esconderse detrás de falsas apariencias para infiltrarse en Nightglen. Gracias al entrenamiento con Vladimir, estaría preparado cuando llegara ese día. Y los días realmente pasaron rápido entre tanto estudio, entrenamiento y también las caminatas a la luz de la luna con Darius cada vez que teníamos tiempo libre.

A veces participamos en las festividades de la comunidad NightGlen, otras veces simplemente caminábamos abrazados hablando de nuestros sueños y esperanzas. El amor entre nosotros parecía crecer más cada día a medida que enfrentábamos juntos desafíos en el camino. Una mirada bastaba para saber lo que pensaba o sentía el otro. Nuestra conexión fue más allá de lo físico o racional...

Nuestra conexión fue como un hilo mágico que nos unió de una manera profunda e inexplicable.

Con Darius a mi lado, me sentía invencible, lista para enfrentar cualquier desafío que el destino nos deparara.

Con el paso de los meses, Nighglen prosperó. Los pueblos que alguna vez estuvieron divididos por clanes ahora estaban más unidos que nunca y la escuela de magia se convirtió en un verdadero hogar para todos nosotros. La atmósfera era de optimismo y esperanza, y sabía que estábamos preparados para afrontar cualquier amenaza que se nos presentara.

Se corrió la voz de nuestra unión y nuestro entrenamiento con Vladimir, y pronto fuimos vistos como los guardianes de Nightglen. La gente nos miraba con respeto y admiración y me sentí honrado de poder proteger a quienes amaba. Pero a pesar de la aparente tranquilidad, sabía que el mal todavía podía esconderse en las sombras, acechando, esperando el momento adecuado para atacar. Por lo tanto, seguí preparándome, mejorando mis poderes y fortaleciendo mi mente contra cualquier influencia maligna...

Una noche estrellada, mientras caminaba por la escuela con Darius, miré al cielo y sentí una mezcla de gratitud y determinación. Estaba lista para enfrentar cualquier cosa que se le presentara, junto al hombre que amaba.

—Juntos seremos imparables, Darius. — dijo mirándolo a los ojos con confianza.

Él sonrió, tomando mi mano afectuosamente.

— Así como las estrellas en el cielo, nuestro amor brillará eternamente, Elia. Nada puede borrarlo.

Y esa noche, bajo el manto de estrellas titilantes, sentí que una nueva ola de energía y determinación me invadía. Sabía que estábamos preparados para afrontar cualquier desafío, armados del amor, la fe y la esperanza, la magia y la fuerza de nuestra unión.

Los días siguieron pasando y Nighlen se convirtió en un verdadero remanso de luz y esperanza. Éramos una comunidad unida, dispuesta a proteger todo lo que amábamos. Y así, Darius y yo permanecemos juntos, enfrentando el futuro con valentía y determinación. Unidos por la magia y el amor, sabíamos que éramos capaces de superar cualquier obstáculo.

Y así, nuestro viaje continuó, lleno de aventuras, desafíos y momentos de pura magia. Juntos enfrentaríamos lo que el destino nos deparara, con la certeza de que nuestra unión era nuestra mayor fortaleza. Y entonces escribimos nuestra propia historia, una historia de amor y coraje que resonaría a través de los siglos, como una luz que nunca se apaga.

# Nueva vida en NightGlen

Habían pasado algunos años en Nightglen desde mi entrenamiento con Vladimir y Darius... Y una nueva vida en esta aldea era todo lo que no esperaba encontrar, ya que todavía esperaba regresar a Grammaria.

Sin embargo, una mañana de primavera, los raros rayos de sol atravesaron la ventana de mi dormitorio y me despertaron más temprano de lo habitual. No me importó, ya que prometía ser una de mis mañanas favoritas desde que me mudé a Nightglen. Hoy, Darius y yo íbamos a hacer un picnic campestre en las afueras del pueblo en la cima de una colina, disfrutando del clima templado y soleado, una rareza en esta región normalmente nublada y ventosa.

Me levanté emocionado y tomé un desayuno rápido antes de prepararme. Pasé más tiempo del habitual eligiendo un vestido bonito y cómodo y arreglando cuidadosamente mi largo cabello rojo. Quería lucir perfecta para este momento especial con Darius, después de todo no sabía cuándo tendría otra oportunidad como esta, ¡de ver la luz del sol reflejada en los ojos de mi amado! Puse en la canasta las delicias que había preparado la noche anterior, sándwiches, tartas dulces, jugos y una botella del mejor vino de la bodega de mi padre Gareth. Darius me recogería en cualquier momento en su carruaje para que nos fuéramos...

...Apenas podía contener la ansiedad y la felicidad que desbordaban dentro de mí mientras esperaba ansiosamente sentada en la sala, escuchando atentamente el tictac del reloj y cualquier sonido de cascos de caballos que se acercaban.

Finalmente, después de lo que pareció una eternidad, escuché el distintivo tintineo del carruaje de Darius deteniéndose frente a la casa.

Salté, corrí hacia la puerta y saludé desde lejos tan pronto como vi a Darius bajar elegantemente vestido con pantalones negros ajustados, una camisa blanca con volantes y un abrigo azul real ricamente bordado. Él le devolvió el saludo, su sonrisa deslumbrante como la propia luz del sol. Bajé corriendo las escaleras de la entrada, apenas capaz de contener mi emoción.

Darius tomó mis manos y las besó suavemente antes de decir con su voz aterciopelada: "Mi querida Elia, te ves absolutamente radiante esta mañana. ¿Lista para nuestro picnic campestre?" Estuve de acuerdo con vehemencia y pronto fui guiado por él hasta el carruaje. Una vez dentro, nos dirigimos con entusiasmo a un claro lleno de flores en las afueras del pueblo, donde planeamos pasar unas horas disfrutando de la compañía de los demás y de las maravillas de la naturaleza.

Tan pronto como llegamos, descargamos todo y colocamos un hermoso mantel a cuadros bajo la fresca sombra de un majestuoso roble. Luego retiramos la comida y las bebidas de la canasta, brindando alegremente por nuestro amor antes de disfrutar de la comida preparada con tanto mimo y expectación.

Mientras comíamos y bebíamos, hablábamos casualmente sobre nuestros sueños y planes, intercambiamos votos y nos reíamos de los chistes de los demás. Darius nunca antes había parecido tan ligero y feliz, libre de los oscuros deberes que lo habían atormentado en el pasado. Allí éramos sólo dos jóvenes enamorados, libres para disfrutar de nuestra compañía y juventud bajo la suave brisa y el canto de los pájaros en ese perfecto día de primavera.

Después del abundante picnic, nos tumbamos abrazados en la toalla, simplemente mirando las curiosas formas de las nubes que pasaban por encima de nosotros. Nada en el mundo podría mejorar ese momento, excepto uno...

Desafortunadamente, como todo lo bueno dura poco, nuestra idílica tarde pronto llegó a su fin. El sol comenzaba a ponerse en el horizonte cuando finalmente decidimos, de mala gana, que era hora de irnos y regresar a casa.

Comenzamos a guardar los objetos esparcidos, teniendo cuidado de no dejar rastros de nuestro paso. Queríamos preservar la belleza intacta de ese lugar especial y respetar la naturaleza y el espacio de los animales que vivían allí.

Cuando estábamos a punto de subir al carruaje, Darius me agarró suavemente del brazo, haciéndome girar hacia atrás. Su rostro ahora estaba serio, su respiración era difícil, sus manos estaban frías y su corazón latía aceleradamente... Intrigada, miré sus misteriosos ojos azules, buscando alguna pista de lo que estaba pasando!

Fue entonces que, para mi total sorpresa, Darius se arrodilló y sacó una pequeña caja de terciopelo negro de su abrigo, abriéndola para revelar un exquisito anillo con una piedra violeta brillando magníficamente a la luz del atardecer y algo torpe. el habló:

— Mi querida Elia... no toda la magia enseñada por Vladimir a lo largo de estos años podría expresar la intensidad de lo que siento por ti y ni siquiera yo podría expresar lo que guardo dentro de mi pecho. Quiero tenerla a mi lado cada mañana al despertar y cada noche antes de dormir, durante todos los días, meses y años que me quedan. ¿Serías tan amable de aceptar convertirte en mi esposa y Lady Shadowthorn?

Lágrimas de felicidad brotaron de mis ojos al escuchar esas dulces palabras que nunca imaginé que vendrían de alguien tan reservado como Darius. Por impulso, yo también me arrodillé y lo abracé fuertemente, susurrándole emocionado al oído:

— Sí... ¡mil veces sí, mi amor! Eres todo lo que alguna vez soñé y apenas puedo creer que quieras compartir tu vida conmigo. ¡Es como si un sueño se hiciera realidad en mi vida!

Nos miramos y sin decir nada más, nos besamos apasionadamente antes de que Darius colocara suavemente el anillo en mi dedo. Fue perfecto, como siempre estuvo destinado a mí. Luego regresamos al carruaje, ya no sólo amantes, sino recién casados a punto de comenzar una nueva etapa en nuestras vidas.

Mi corazón rebosó de alegría y esperanza durante el viaje de regreso a casa. Finalmente, después de tantos desafíos, nuestro amor había triunfado y ninguna sombra podía sacudir la felicidad que sentía en ese momento.

Apenas pude contener mi emoción cuando Darius me dejó en casa después de la propuesta. Acordamos contarle la noticia a nuestra familia en una cena ya programada para dos días después en la mansión Shadowthorn. Hasta entonces, guardaríamos el delicioso secreto.

Durante los dos días siguientes, hasta la cena, tuve que ocultar mi sonrisa tonta y mis ojos soñadores tanto como fuera posible para evitar despertar sospechas prematuras por parte de Gareth y mi amiga Lizeth. Inventé la excusa de simplemente estar orgulloso de mi progreso en los estudios para justificar mi obvia felicidad.

Por fin llegó la noche tan esperada. Me vestí de punta en blanco y me puse un hermoso collar de esmeraldas que combinaba perfectamente con mi anillo de compromiso. Darius vino a recogerme y juntos viajamos en carruaje hasta la imponente mansión de su familia.

En el interior ya nos esperaban Adelaide y Vladimir con una rica y sofisticada cena preparada. Nos recibieron calurosamente y nos sentamos en una mesa decorada con un exquisito juego de porcelana traída especialmente desde Francia para la ocasión.

Después de que todos se sirvieron las diversas delicias y la atmósfera se relajó, Darius se levantó y se aclaró la garganta para llamar la atención. Todas las cabezas en la mesa se volvieron hacia nosotros dos con curiosidad.

Luego, con una amplia sonrisa, Darius anunció la tan esperada noticia:

— Queridos familiares, ¡Tengo el gran placer y honor de compartirles que la maravillosa Sra. Elia ha aceptado casarse conmigo! ¡Estamos comprometidos!

Hubo una explosión de felicidad y felicitaciones. Vladimir le dio unas palmaditas en la espalda a Darius con orgullo, mientras Adelaide derramaba lágrimas de emoción, apretando mis manos. Incluso el gruñón Orión parecía genuinamente satisfecho con la noticia.

El resto de la cena transcurrió en un ambiente de celebración y planes de futuro. Se celebraría una boda suntuosa a la que se invitaría a importantes magos de toda la región. Y esta unión sellaría de una vez por todas la redención y aceptación de Shadowthorn entre la comunidad mágica local y también por parte de mi padre Gareth, quien siempre había sido algo escéptico con la familia de Darius.

Después de cenar en Shadowthorn Manor para anunciar nuestro compromiso, Darius y yo nos dirigimos hacia mi casa y estábamos decidiendo cómo le daríamos la noticia a mi padre Gareth...

Mi corazón latía aceleradamente mientras nos acercábamos al lugar donde mi padre, Gareth, nos esperaba. Su expresión normalmente seria añadió un toque de melancolía, y supe que mis elecciones lo hacían escéptico respecto de la familia de Darius.

Sostuve la mano de Darius con firmeza, buscando coraje en su mirada amorosa. Caminamos juntos hacia mi padre, cuyo ceño revelaba su preocupación.

"Papá", comencé, mi voz temblaba un poco. "Darius y yo... realmente nos amamos y deseamos embarcarnos en el viaje del matrimonio. Sé que hay sospechas con respecto a su familia, pero Darius es un hombre honesto y honorable. Ha prometido protegerme y amarme de por vida. . , y confío en tus palabras con todo mi ser."

Mi padre escuchó atentamente, sus ojos escaneando el rostro de Darius. Contuve la respiración, ansiosa por su respuesta.

"Elia", dijo mi padre con voz profunda y cautelosa. "Confieso que tengo preocupaciones con respecto a la familia de Darius. Los Shadowthorns son portadores de magia antigua y misteriosa, y desconfío de adónde nos puede llevar esto. Sin embargo, entiendo la autenticidad del amor que comparten. A la luz de esto, Concédeme permiso para seguir adelante con tus planes de boda".

Un escalofrío de alivio recorrió mi cuerpo y una sonrisa temblorosa se formó en mis labios. La expresión seria de mi padre dio paso a un sutil destello de aceptación, y entonces supe que estaba cediendo a una confianza renuente en Darius.

"Padre, te agradezco tu voto de confianza. Darius es mi roca, mi compañero en el viaje de la vida. Juntos enfrentaremos cualquier adversidad que pueda surgir. Lo he visto en lo mejor y en lo peor, y en cada faceta, él me ha dado, mostró tu amor inquebrantable. Si pudieras conocer la belleza y la bondad que existe en tu corazón, tal vez podrías ver más allá de las sombras que te rodean.

Mi padre nos miró a los dos en silencio por un momento, sus ojos expresaban un conflicto interno. Finalmente, asintió lentamente, con una mezcla de resignación y esperanza reflejada en su rostro.

"Elia, hija mía...", dijo con la voz temblorosa por la emoción reprimida. "En tus palabras veo un amor verdadero que trasciende miedos e incertidumbres. Darius, si eres capaz de cumplir tu promesa de amar, honrar y proteger a mi hija, entonces te doy mi permiso para que compartas tus vidas en el vínculo sagrado. Boda."

Lágrimas de alegría llenaron mis ojos mientras abrazaba a mi padre con profunda gratitud. Sentí el corazón de Darius desbordarse de felicidad junto a nosotros y supe que ese momento de aprobación de mi padre selló el inicio de un camino compartido, sostenido por el amor y el respeto mutuo.

Con las manos entrelazadas y el corazón conectado, salimos de ese lugar, envueltos en la certeza de que, juntos, superaríamos cualquier obstáculo que se nos presentara. Con cada paso hacia nuestro futuro, mi amor por Darius se hizo más fuerte y supe que él llevaba la bendición de mi padre a nuestro matrimonio.

Finalmente, después de tantas pruebas, nuestro amor triunfó plenamente. Y estábamos ansiosos por comenzar este nuevo y prometedor capítulo en nuestras vidas, ahora como marido y mujer. El futuro nunca pareció tan brillante y pronto sería un Shadowthorn.

Los preparativos para la boda comenzaron sin demora. Adelaide y Vladimir supervisaron cada detalle para garantizar que fuera una ocasión verdaderamente memorable y mágica. El gran salón de la mansión Shadowthorn estaba ricamente decorado con hermosos arreglos florales blancos y velas flotantes. Se contrató a un grupo de ninfas del bosque para proporcionar música ambiental encantada. El menú sería un festín digno de la realeza, con platos exquisitos y poco comunes traídos de todos los rincones.

Se enviaron invitaciones a las familias mágicas más importantes de la región, advirtiendo de la honorable unión entre los herederos de los clanes Gareth y Shadowthorn. Adelaide no escatimó esfuerzos para transformar esa boda en el evento del siglo entre la comunidad mágica.

Apenas pude contener la ansiedad y el nerviosismo normales de cualquier novia. Pasé horas interminables intentando elegir el vestido y el peinado perfectos con la ayuda de Lizeth. Quería lucir completamente deslumbrante ese día para impresionar no sólo a Darius, sino a todos los distinguidos invitados, incluida mi madre Isadora, que no la había visto en años.

A pesar de toda la formalidad de los preparativos, en el fondo sólo podía pensar en la excitante perspectiva de finalmente unirme en cuerpo y alma a quien era dueño de mi corazón. Los votos que intercambiaríamos y nuestro primer vals como marido y mujer eran momentos que realmente esperaba experimentar.

Finalmente, después de lo que pareció una eternidad de espera, llegó el ansiado día de la boda. Desde las primeras horas de la mañana, un zumbido de actividad se apoderó de Shadowthorn Manor, con sirvientes corriendo de un lado a otro asegurándose de que cada detalle fuera perfecto.

En mi habitación, Lizeth me ayudó con mi elaborado peinado, maquillaje y mi impresionante vestido blanco tachonado de piedras preciosas. Mirándome al espejo apenas reconocí a la radiante novia reflejada en él. Estaba lista para el momento que definiría el resto de mi vida con el hombre que amaba.

Cuando finalmente llegó el momento, y bajé la imponente escalera de la mansión del brazo de Gareth, tuve que contener la necesidad de correr por la alfombra roja hasta donde Darius me estaba esperando en el altar lleno de flores. Su mirada de admiración y felicidad al verme fue el mejor regalo que pude haber recibido en ese día tan especial. Sin embargo, mi felicidad no fue completa, ya que mis ojos no vieron señales de mi madre Isadora en ese lugar.

La boda fue como un sueño. Todos los invitados sólo tenían ojos para la hermosa novia mientras ella flotaba con gracia por la alfombra roja hacia sus votos que cambiaron su vida. Sin embargo, nadie notó las nubes oscuras que se estaban formando en el cielo afuera hasta que retumbó el primer trueno.

De repente, un fuerte estallido sacudió toda la propiedad, haciendo que los candelabros de cristal tintinearan. Los gritos de los invitados resonaron cuando las puertas del pasillo se abrieron violentamente por una ráfaga de hielo. Entonces, una niebla negra se materializó en su interior, tomando la forma de una criatura horrible... ¿Quién se atrevería a perturbar mi boda?

# El regreso de la oscuridad

¡Era Lord Damus, el terrible sirviente de la oscuridad que creíamos que había sido desterrado! Desechó a Darío y a Vladimir con un solo gesto, riéndose malvadamente:

—¿Creías que ya no habías visto más de mí? ¡Porque la oscuridad ha regresado y esta vez nadie podrá evitar que se trague esta tierra!

Un grito de horror colectivo resonó por el pasillo. Los invitados entraron en pánico y corrieron en todas direcciones. Mientras Darius y Vladimir se levantaban aturdidos, Lord Damus avanzó hacia mí, hambriento de venganza.

Apenas tuve tiempo de levantar mi varita antes de que me agarrara por el cuello, sus ojos brillaban peligrosamente mientras me miraba.

— Esta vez tengo un cebo valioso para garantizar la victoria de la oscuridad contra Shadowthorn...

Y desapareció conmigo antes de que nadie pudiera reaccionar, dejando solo mi ramo de flores, señal de que la unión que soñé no se haría realidad en ese día oscuro. La oscuridad volvió a reclamar lo que deseaban...

Mientras Lord Damus me arrastraba hacia un portal negro, podía escuchar los gritos desesperados de Darius de fondo. Pero ya era tarde, la oscuridad ya nos había envuelto por completo y todos los sonidos en el pasillo desaparecieron, reemplazados por un silencio de muerte.

Cuando la niebla negra se disipó, me encontré en una cueva rocosa débilmente iluminada por antorchas adheridas a las paredes húmedas. Huesos y cadenas cubrían el suelo de tierra.

Lord Damus finalmente me soltó, empujándome contra la pared.

— Bienvenida a mi humilde hogar, bruja de la luz. Serás un invitado de honor hasta que tus amigos vengan a suplicar por tu vida... ¡entonces te exigiré que entregues esta tierra a la oscuridad de una vez por todas!

Intenté ocultar mi miedo y afrontarlo desafiante:

— ¡Nunca se rendirían ante ti, monstruo! ¡Una vez que descubran dónde estamos, acabarán contigo una vez más!

Lord Damus dejó escapar una risa que resonó amenazadoramente por toda la cueva.

— Esta vez estoy preparado para ellos. Contaba con su arrogancia pensando que mi reinado de terror había terminado... ¡ahora es demasiado tarde para detenerme!

Levantó las manos y recitó palabras en un lenguaje vil de antiguos arcanos. Aparecieron esposas en el suelo, atando mis tobillos y muñecas. Caí de rodillas, incapaz de moverme.

— No puedo esperar a ver morir la esperanza en sus ojos cuando descubran que esta vez no pueden salvarla... – siseó Lord Damus antes de dejarme solo en la cueva oscura.

Las lágrimas brotaron de mis ojos mientras luchaba en vano contra las cadenas que me aprisionaban. Mi vestido de novia estaba sucio y roto. Y el futuro que parecía tan brillante hace apenas unas horas ahora era sombrío como la oscuridad.

Pero en el fondo, sabía que Darius no se rendiría conmigo. Incluso frente al mismísimo infierno, él vendría a rescatarme de las garras de la oscuridad. Y esta vez, definitivamente acabaríamos con Lord Damus... o moriríamos en el intento.

Mientras yo languidecía en esa cueva maldita, Darius reunió a todos los miembros del Consejo de Magos de la Luz en Nightglen para una misión de rescate. Adelaide y Vladimir estaban furiosos por haber permitido que Lord Damus los engañara y escapara nuevamente. Mientras que Gareth culpó a todo Shadowthorn de que Lord Damus se llevara a Elia.

— ¡Esta vez exterminaremos este mal de una vez por todas! Elia debe estar aterrada y necesita nuestra ayuda... ¡No le volveré a fallar! — declaró Darius, empuñando su espada.

Acordaron realizar un hechizo localizador usando mi vestido de novia roto como foco. Después de algunos intentos fallidos, finalmente detectaron mi paradero: una cueva en lo profundo del Bosque Oscuro, una conocida fortaleza de la oscuridad.

Sin perder más tiempo, organizaron un grupo de rescate con los mejores guerreros disponibles. Inmediatamente se dirigieron hacia el norte bajo el atronador cielo negro, preparados para la batalla. Darius cabalgó delante de todos, decidido a alcanzarme y eliminar a Lord Damus de una vez por todas.

Mientras tanto, había dejado de luchar contra las cadenas, mis muñecas y tobillos estaban magullados y sangraban por la fricción. Sólo podía escuchar el goteo opresivo en algún rincón y el latido irregular de mi corazón. Hasta que unos pasos resonaron en la cueva, acercándose.

Levanté la vista esperanzada, creyendo por un momento que Darius había llegado. Pero era Lord Damus, trayendo una bandeja con un plato de algo asqueroso que debía haber sido mi comida.

— Necesitas mantener tus fuerzas, querida... ¡pronto tendremos visitas importantes! — se burló.

Escupí a sus pies con desprecio, aunque sabía que luego me arrepentiría. Lord Damus rugió y me atacó con sus garras, dejando surcos sangrientos en mi brazo. El dolor era cegador, pero no le daría el placer de ver mi sufrimiento.

Pronto llegarían Darius y los demás. Y la esperanza de verlo derrotar a Lord Damus de una vez por todas me mantuvo cuerdo mientras languidecía en esas fétidas mazmorras.

Apenas unas agonizantes horas después, escuché los sonidos de la batalla resonando cada vez más cerca. Mi corazón casi se detuvo. ¡Habían llegado! Lord Damus gruñó alguna maldición antes de salir corriendo a defender su territorio.

Ahora, era cuestión de tiempo antes de que Darius me alcanzara. Y esta vez, saldríamos juntos de esa maldita cueva de una vez por todas.

La violenta batalla entre las fuerzas de Nightglen y los sirvientes de Lord Damus parecía acercarse cada vez más a mi prisión. Escuché gritos, golpes y chillidos resonando por los túneles. Hasta que, de repente, todo quedó en silencio.

Contuve la respiración, temiendo lo que pudiera significar el silencio. ¿Lord Damus derrotó a mis amigos? No... ¡No podía perder la esperanza ahora!

Fue entonces cuando escuché pasos apresurados que se acercaban hacia mí. Levanté mis ojos llorosos hacia la entrada y esta vez el corazón casi se me sale de la boca de felicidad. ¡Era Darío!

Su hermoso rostro estaba manchado de hollín y sangre, pero cuando me vio sonrió ampliamente y aliviado. Corrió hacia mí y se arrodilló para examinar mis heridas.

— Mi amor... ¡gracias a Dios estás viva! ¡Este monstruo pagará por lo que hizo!

Con un movimiento de su espada, las cadenas que me aprisionaban se rompieron. Me tambaleé débilmente, sostenido por sus fuertes brazos. Me sentí renovado después de saborear el dulce sabor de sus labios en los besos preocupados que cubrían mi rostro.

— Lord Damus... los demás... — tartamudeé débilmente, todavía con miedo.

- No se preocupe. Terminó. Nuestra luz ha vencido una vez más a la oscuridad. Ahora dejemos atrás este maldito lugar.

Darius arrancó parte de su capa para curar mis heridas y luego me levantó suavemente. Siguieron túneles oscuros hasta que finalmente la luz del sol invadió mi visión, después de tanto tiempo en la oscuridad.

Afuera, nuestros amigos estaban celebrando, felices de ver que estaba a salvo. Las fuerzas de Lord Damus fueron completamente aniquiladas. Darius me colocó suavemente en una camilla, donde los curanderos rápidamente atendieron mis heridas.

Cuando regresamos a Nightglen, intercambié una mirada de complicidad con mi prometido, nuestras manos entrelazadas. Habíamos sobrevivido a esta terrible prueba de oscuridad. ¡Y pensé inocentemente que nada más se interpondría en nuestro tan esperado final feliz!

Sin embargo, una cortina de humo paralizante en el cielo sobre el pueblo más cercano de Nightglen...

# El ataque de Xykar

...Cuando vimos el cielo gris a plena luz del día en el pueblo más cercano, en lugar de celebrar, un mal presentimiento pareció apoderarse de todos. ¡Esto fue muy fácil!

Nuestra sospecha se confirmó cuando salimos a la superficie, saliendo de la sombría cueva del bosque. En el horizonte, un siniestro humo negro cubría a nuestra querida Nightglen. ¡Lord Damus nos engañó!

Mientras me tenía prisionera como cebo, trajo al terrible Xykar del mundo oscuro para atacar y dominar a nuestro indefenso NightGlen. ¿Cómo podríamos caer en esta vil trampa?

Todos corrieron de regreso a casa, temiendo ya lo peor. Por todas partes había rastros de destrucción y fuego. Los seres de las sombras ahora caminaban libremente por las calles que alguna vez fueron pacíficas. Habíamos llegado demasiado tarde.

Darío golpeó un árbol con su espada, rugiendo de rabia. Lloré mucho, sintiéndome culpable por haber sido instrumento de esa desgracia, incluso sin culpa real.

Sólo les quedaba una opción a aquellos valientes guerreros: enfrentarse a Xykar en una última batalla desesperada. Incluso heridos y exhaustos, levantaron sus armas y se dirigieron hacia el centro de NightGlen, dispuestos a morir si era necesario para rescatar su hogar de las garras de la oscuridad.

Lord Damus pagaría un alto precio por manipular el amor de Darius por mí para causar tanto dolor y destrucción. Esta vez, no descansarían hasta eliminar esta amenaza para siempre... incluso si les costara la vida.

Mientras sollozaba desolado, maldiciendo mi ingenuidad que permitió a Lord Damus tender esa trampa, Darius y los demás ya estaban marchando audazmente hacia la capital sitiada. Le rogué que me permitiera ir con ellos, pero Darius me hizo prometer solemnemente que me quedaría a salvo en las costas de NightGlen hasta que él viniera a buscarme.

— No podría soportar perderte otra vez, mi amor. ¡Espera aquí, prometo regresar vivo y victorioso! — fueron sus palabras antes de partir con los guerreros.

Y luego los vi desaparecer en la batalla que decidiría el destino de nuestro mundo. Aunque estaban heridos y exhaustos, se fueron con la cabeza en alto, dispuestos a hacer un sacrificio final en nombre de nuestro país.

Las horas transcurrieron lentamente mientras esperaba angustiado, imaginando los horrores que le sobrevinieron a nuestra querida Nightglen en ese momento. Hasta que, en cierto momento, una extraña sensación se apoderó de mí. Algo en el aire había cambiado.

Encontré a NightGlen sorprendida, temiendo lo peor. Fue entonces cuando me encontré con la escena que más temía: Darius y nuestros amigos estaban de regreso, cargando cuerpos ensangrentados en camillas. No lograron destruir a Lord Damus y sus ejércitos oscuros...

Corrí sollozando hacia Darius, quien cayó de rodillas, derrotado. Los guerreros supervivientes perdieron las miradas en blanco. El mal triunfó sobre la luz en aquella fatídica noche. Xykar y Lord Damus ahora dominaban irreversiblemente a Nightglen.

Desesperada, sostuve el rostro de Darius entre mis manos, rogando por esperanza. Su mirada lo decía todo. Se terminó. No todo nuestro amor y poder fueron suficientes...

La oscuridad ha cubierto nuestra tierra ahora como un manto negro. Y bajo la risa malvada de Lord Damus resonando en la distancia, todo lo que pudimos hacer fue huir con los supervivientes y reconsiderar dolorosamente nuestros próximos pasos en esta batalla aparentemente perdida.

Con el corazón roto, me vi obligado a huir en la noche con Darius y un puñado de supervivientes, dejando a nuestro amado Nightglen a las fuerzas demoníacas de Xykar y Lord Damus. Todavía podíamos escuchar los gritos de agonía y el crepitar de las llamas mientras la oscuridad se tragaba lo que una vez había sido nuestro hogar.

Continuamos a través del denso bosque sin dirección ni esperanza, solo tratando de poner la mayor distancia posible entre nosotros y esa pesadilla. Muchos resultaron gravemente heridos y tuvieron que ser transportados en camillas improvisadas por sus compañeros.

Avancé en silencio sosteniendo a Darius, nuestro dolor y cansancio eran palpables. Su mirada estaba vacía, perdida en recuerdos que ahora parecían pertenecer a otra vida. Nuestra única opción era seguir adelante, aunque no sabíamos hacia dónde.

Después de caminar hasta el amanecer, finalmente paramos a descansar en un claro. Curamos a los heridos lo mejor que pudimos y enterramos con lágrimas a los que murieron valientemente en la batalla.

Luego, reunidos alrededor de una débil fogata, comenzamos a discutir nuestro siguiente paso. Algunos sugirieron intentar pedir refuerzos a los pueblos vecinos. Otros abogaban por el exilio, huyendo lo más lejos posible de aquella tierra maldita.

Darius permaneció en silencio durante un largo rato, simplemente observando las llamas crepitantes. Hasta que dijo, con renovada firmeza en la mirada:

— No. No huiremos como cobardes, abandonando a nuestro pueblo a su suerte. Reagrupemos a nuestros aliados y contraataquemos... ¡cueste lo que cueste!

Las palabras de Darío reavivaron la llama de la esperanza en nuestros corazones abatidos. Nos levantamos decididos a seguir tu llamado a las armas, dispuestos a morir si es necesario para reclamar nuestras tierras.

Comenzamos a enviar mensajes secretos convocando a aliados de pueblos cercanos, así como a los héroes de Grammaria, para nuestro acto final de guerra en las montañas. Pronto se unieron a nuestra causa viejos amigos y nuevos voluntarios. Entrenábamos incansablemente, preparando hechizos y estratagemas.

Trabajé como nunca antes para dominar nuevos ataques y hechizos curativos. Estudiamos al enemigo incansablemente, buscando debilidades. Darío tomó la iniciativa y sus audaces planes revivieron el valor en nuestros corazones.

A pesar del clima de esperanza, el dolor de perder a tantos seres queridos seguía vivo. Todas las noches lloré abrazando a Darius hasta quedarme dormido. Me acarició el pelo, prometiendo venganza.

Hasta que llegó el día del ataque. Marchamos bajo el cielo negro hacia las puertas de la amada Nightglen. Darius gritó su desafío a Lord Damus y sus fuerzas demoníacas. El trueno rugió cuando comenzó la batalla.

Esta vez estábamos preparados. Los hechizos que lanzamos juntos causaron un daño terrible a las huestes enemigas. Avanzamos por el pueblo sitiado, recuperando territorio poco a poco.

Cuando finalmente llegamos a la guarida de Lord Damus, explotamos al unísono, liberando toda nuestra furia y poder acumulados. El mismo aire parecía vibrar mientras la magia chocaba entre el bien y el mal.

Ahora, todo dependería de nuestra determinación de ver a Nightglen libre nuevamente... incluso si tuviéramos que sacrificar nuestras propias vidas para lograrlo.

La batalla contra las fuerzas demoníacas de Lord Damus fue feroz. Avanzamos lentamente a través del pueblo sitiado, ganando terreno centímetro a centímetro. Muchos cayeron en el camino, pero avanzamos con valentía y sed de venganza.

Lancé poderosos hechizos junto a Darius, con el objetivo de causar el mayor daño posible al enemigo. Vladimir y Adelaide también lucharon sin miedo, a pesar de su avanzada edad. Incluso el joven Edgar, mi gran amigo, derribaba a sus oponentes con su daga encantada.

Cuando finalmente llegamos a las puertas de la finca Shadowthorn, donde Lord Damus ha establecido su cuartel general, nuestra furia aumentó aún más. Ese lugar guardaba recuerdos preciosos que ahora manchaba con su vil toque.

Avanzamos como una avalancha despiadada por los otrora hermosos jardines, ahora negros y distorsionados por la magia oscura. Nada nos detendría hasta que recuperáramos lo que era nuestro por derecho. Ni siquiera la muerte.

Dentro de la mansión, encontramos a Lord Damus sentado tranquilamente en el trono de Shadowthorn, disfrutando de una copa de vino como si celebrara su desastrosa victoria. Su arrogancia nos hizo hervir la sangre.

Lo rodeamos, con varas y espadas desenvainadas, listos para eliminar ese mal de una vez por todas. Su ejército fue destruido, no había ningún lugar adonde huir. Su destino estaba sellado. Caímos sobre Lord Damus con toda nuestra furia...

La lucha que siguió fue brutal y despiadada. Pero esta vez prevalecería la justicia. Nightglen volvería a ser nuestra.

La batalla contra Lord Damus parecía no tener fin. Era muy fuerte y lanzaba poderosos hechizos oscuros, tratando de mantenernos a raya. Pero seguiríamos adelante, sin importar el costo.

Darius se destacó y sus precisos golpes debilitaron gradualmente al enemigo. Pero Damus también era astuto y en un momento se teletransportó detrás de mí y me tomó como rehén.

— ¡Un paso más y ella muere! — amenazó Damus, su espada negra presionada contra mi cuello.

Darius se detuvo en el lugar, mirándome con aprensión. Intenté indicarle que continuara el ataque, pero Damus simplemente presionó el cuchillo con más fuerza.

— Puedes rendirte ahora y dejar a Nightglen en paz, y yo dejaré vivir a tu amado. Damus siseó, saboreando su momento de ventaja.

No podía permitir que Darius y los demás se rindieran cuando estábamos tan cerca. Cerré los ojos y concentré todo mi poder en un hechizo explosivo, apuntando al suelo debajo de nosotros.

El impacto envió a Damus a volar, liberándome. Aún aturdido, levanté mi varita contra el villano. Darius sonrió con orgullo y continuó su ataque.

Luchamos lado a lado, evitando los hechizos de represalia de Damus. Hasta que Darius lo golpeó justo en el pecho con su espada de fuego, haciéndolo rugir de dolor.

Luego conjuré todas las fuerzas de la naturaleza contra Lord Damus: relámpagos, vientos, piedras. No quedaría nada de él cuando hubiéramos terminado. Nightglen volvería a ser nuestra.

Agotados pero exultantes, vimos cómo el cuerpo de nuestro terrible enemigo se desintegraba hasta dejar sólo una mancha negra en el suelo. ¡Habíamos ganado! ¡Nuestra casa era libre!

# Las antiguas profecías

Con Lord Damus derrotado, todo lo que podíamos hacer ahora era encontrar una manera de desterrar al terrible Xykar al mundo oscuro del que vino. Sin embargo, esto parecía imposible, ya que su esencia demoníaca lo hacía inmune a cualquier hacha o hechizo nuestro.

Fue entonces cuando Vladimir recordó antiguas profecías que mencionaban un ritual capaz de abrir un portal y encarcelar nuevamente a Xykar en su reino. Inmediatamente partimos hacia su torre, en busca de los antiguos pergaminos que contenían la clave de nuestra salvación.

Después de mucho buscar entre libros polvorientos, Vladimir finalmente exclamó eufóricamente, con los ojos bien abiertos sobre un viejo pergamino.

Después de mucho buscar entre libros polvorientos, Vladimir finalmente exclamó eufórico, con los ojos bien abiertos sobre un viejo pergamino con extraños símbolos:

- ¡Yo encontré! Escuche esto: "Cuando la bestia infernal surja, solo el Cristal Sagrado en Elders Peak puede desterrarla al Eterno Crepúsculo..."

Intercambiamos miradas esperanzadas. ¡Así que había una manera de abrir un portal y devolver a Xykar a su mundo oscuro! Sólo necesitábamos encontrar este misterioso Cristal Sagrado.

Según el mapa de Vladimir, el Pico de los Ancianos estaba a tres días de viaje hacia el norte a través de las Montañas Nubladas. Decidimos irnos inmediatamente, antes de que

Xykar pudiera reconstruir sus fuerzas tras la derrota de Lord Damus.

El viaje fue difícil y peligroso, enfrentando un frío glacial, bestias desconocidas y un terreno accidentado. Pero seguimos firmes en nuestro objetivo. Después de tres largos días, vimos a lo lejos el majestuoso Pico dos Anciões emerger por encima de las nubes.

Subimos con cuidado hasta la cima a través de desfiladeros rocosos. Allí, en una cueva helada, finalmente encontramos lo que buscábamos: un enorme cristal brillante, que pulsaba con energía antigua. ¡El Cristal Sagrado de la profecía!

Lo llevamos a Nightglen lo más rápido posible. Según el pergamino, el ritual debía realizarse en el momento exacto en que la aurora boreal aparecía en el horizonte, durante el solsticio de invierno. El tiempo del Eterno Crepúsculo para Xykar estaba cerca...

De vuelta en Nightglen, comenzamos los preparativos para el ritual que enviaría a Xykar de regreso al mundo oscuro. Reunimos los ingredientes místicos necesarios y estudiamos cada detalle del encantamiento. El Cristal Sagrado se mantuvo oculto, protegido por hechizos.

Mientras tanto, duplicamos guardias y protecciones en todo el pueblo. Xykar todavía nos amenazaba, con sus criaturas infernales al acecho. Hubo que esperar unos días más hasta que llegara el solsticio de invierno, cuando se podría realizar el ritual.

Afortunadamente para nosotros, parecía debilitado y desorientado tras la caída de Lord Damus. Aun así, sabíamos que su furia sería terrible cuando descubriera nuestros planes.

Estábamos lidiando con una fuerza más allá de nuestra comprensión.

La víspera del solsticio todo estaba listo. El lugar ritual estaba decorado con velas y símbolos sagrados dibujados en el suelo. A Darius se le encomendó la tarea de guiar el hechizo, debido a su poder y conexión con las energías telúricas.

Nos reunimos al atardecer, justo cuando el cielo comenzaba a bailar con los colores verdes de la aurora boreal, como lo había predicho la profecía. Ha llegado el momento de devolver a Xykar al abismo del que nunca debería haber salido.

Darius levantó el Cristal Sagrado mientras recitaba las misteriosas palabras. Un vórtice dimensional comenzó a abrirse, absorbiendo la oscuridad circundante. Orión se colocó junto al portal recién abierto, listo para empujar a Xykar de regreso a su mundo tan pronto como apareciera.

De repente, un rugido sobrenatural resonó cuando una sombra gigantesca emergió de la niebla negra. Xykar avanzó sus garras hacia Darius en un intento de detener el hechizo. Fue entonces cuando Orión tomó medidas.

Usando su inmensa fuerza, agarró una de las piernas distorsionadas de Xykar y comenzó a arrastrarlo hacia el vórtice dimensional. La bestia luchó furiosamente, pero Orión no la soltó hasta que estuvo del otro lado. Con un grito de batalla, Orión dio el último tirón, desapareciendo por el portal con Xykar.

Cerré los ojos aliviada cuando el pasaje se cerró con un clic. ¡Xykar ha sido prohibido! Orión sacrificó su vida para salvar a Nightglen. Su nombre sería recordado con honores por muchas generaciones...

Sin embargo, días después, Vladimir todavía tenía esperanzas de que Orión pudiera estar vivo en algún lugar del inframundo. ¡Decidió realizar un ritual arriesgado y pidió ayuda a su antiguo aliado Ilex!

Después de dibujar símbolos arcanos y cantar encantamientos, una figura esbelta emergió del humo negro. Era Ilex, de piel grisácea y ojos completamente negros.

Vladimir le pidió que usara sus poderes oscuros para localizar a Orión. Después de una breve vacilación, Ilex reveló que sentía su presencia atrapada en algún lugar del Abismo. ¡Orión estaba vivo, pero necesitaría ayuda para escapar y regresar!

Al principio dudamos, decidimos confiar en la palabra de Ilex y seguir sus instrucciones para abrir un portal a Orión. Aunque era arriesgado, no podíamos abandonarlo a su suerte tras su sacrificio para desterrar a Xykar y salvar a Nighglen.

Luego, Vladimir y Darius lanzaron el hechizo para crear un pasaje al Abismo, mientras yo y los demás nos preparábamos para entrar a ese mundo oscuro y rescatar a nuestro amigo.

De la mano, atravesamos el portal dimensional hacia un paisaje brumoso e inquietante. El aire era pesado y opresivo, y figuras negras acechaban en la distancia. Seguimos las coordenadas proporcionadas por Ilex hasta una cueva excavada en la roca negra.

En el interior encontramos a Orión encadenado y herido, pero vivo. Con un poderoso hechizo, Darius rompió las cadenas, permitiéndonos llevarlo de regreso al portal antes de que fuera demasiado tarde.

Una vez del otro lado, a salvo, atendimos las heridas de Orión, quien aún estaba inconsciente. Afortunadamente,

Vladimir conocía poderosos hechizos curativos que le devolvieron la lucidez después de largas horas de tratamiento meticuloso.

Cuando Orión finalmente abrió los ojos, fue como si todos suspiramos aliviados. Parecía débil y desorientado, pero fuera de peligro. Pudimos explicarle dónde estaba y qué había sucedido.

— Pensé que nunca volvería a ver la luz del sol... — susurró Orión, con voz ronca. —Debería haber sospechado que ustedes, idiotas sentimentales, vendrían a por mí.

Intercambiamos sonrisas. Por mucho que Orión fingiera ser grosero, sabíamos que en el fondo él también haría lo mismo por cada uno de nosotros. Éramos más que amigos o aliados. Éramos una familia.

Mientras celebrábamos el regreso de Orión, ninguno de nosotros notó una siniestra criatura alada que había escapado del portal abierto al inframundo antes de que se cerrara. ¿Podría ser alguna criatura malvada aprovechando la oportunidad para entrar a nuestro mundo?

Por ahora, nos sentimos aliviados de tener a Orión de regreso sano y salvo. Pero esta amenaza oculta pronto revelaría su terrible rostro, presentándonos otro desafío aparentemente insuperable.

# Conflicto de sangre

En los meses posteriores al regreso de Orión del inframundo, comenzó a actuar cada vez más impulsivo y agresivo. Aunque todo el mundo lo atribuyó a un trauma, comencé a sospechar que algo más siniestro estaba en juego.

Un día, lo encontré en el ático de la mansión Shadowthorn con un artefacto negro pulsante en sus manos. Orión parecía eufórico y fuera de sí. Cuando intenté advertirle del peligro, me atacó con furia sobrenatural.

Fue entonces cuando me di cuenta, con horror, de que Orión ya no tenía el control de sí mismo. Alguna fuerza demoníaca lo poseyó, convirtiéndolo en una marioneta malvada. Pero nadie más creyó en mis sospechas.

Pasaron los meses y Orión se volvió cada vez más violento e impredecible. Hasta que una noche desapareció misteriosamente. Temiendo lo peor, nos dispusimos a buscarlo en el bosque...

Y encontramos mucho más de lo que esperábamos. Algo que pondría en riesgo a la propia Nightglen.

En el corazón del bosque, Orión flotaba en el aire rodeado de un aura maligna, con su cuerpo contorsionado de forma antinatural. En el suelo a su alrededor, los símbolos rituales brillaban con un tono violeta oscuro.

Al vernos, Orión se rió con voz ronca, revelando unos colmillos puntiagudos. Sus ojos una vez azules ahora eran completamente negros. Entonces, una voz cavernosa dijo a través de él:

— Tontos... su amigo ya no existe. ¡Soy Xykar renacido! ¡Y esta vez nadie podrá impedirme conquistar este mundo!

Intercambiamos miradas de puro terror. ¿Cómo fue esto posible? ¡Orión se sacrificó para desterrar a Xykar! Y, sin embargo, la entidad demoníaca ahora lo poseía como una marioneta siniestra.

Antes de que pudiéramos reaccionar, Xykar levantó a Orión por el cuello con su magia maligna. Necesitábamos actuar rápidamente para salvar a nuestro amigo y evitar que el monstruo se fortaleciera por completo.

Vladimir comenzó a recitar un contrahechizo, haciendo que Xykar rugiera de odio. Mientras tanto, Darius y yo lo distrajimos con hechizos de luz para debilitar su forma física.

La batalla fue feroz, pero no nos rendiríamos hasta recuperar Orión y desterrar a Xykar una vez más. Su regreso fue costoso, pero corregiríamos este error y protegeríamos a Nightglen a cualquier precio.

"Cuando agarré a Xykar en el vórtice dimensional, pensé que íbamos al Abismo del Inframundo, pero algo salió mal. Caímos, luchando ferozmente a través de aguas turbias, cielos en llamas, hasta llegar a un lugar que se parecía a Nightglen, pero todo era... todo lo contrario.

Era como si estuviéramos en un mundo paralelo malvado y sin vida, una realidad reflejada y distorsionada. Xykar pareció fortalecerse al principio, hasta que noté un miedo genuino en sus ojos, algo que nunca antes había visto. Sintió una presencia antigua mucho más allá de su propio poder o del de cualquier criatura a la que nos hayamos enfrentado.

Fue entonces cuando Xykar me encarceló y tomó el control de mi cuerpo y mi mente, regresando al vórtice original hasta llegar al inframundo. Todavía siento que una parte de él me infecta el alma, a pesar de haber sido desterrado...”

“Cuando abrimos ese portal al inframundo para rescatar a Orión, también sentí una perturbación, como si una sombra nos hubiera seguido en ese momento.

Desde entonces, no he podido deshacerme de la inquietante sensación de que alguna cosa o criatura malvada puede haber escapado a nuestro mundo en ese ritual. Algo antiguo y poderoso, escondido en las sombras y esperando su oportunidad para atacar...

Por eso redoblé mi entrenamiento con Vladimir, para estar preparado cuando este mal oculto finalmente revele su rostro. Porque de una cosa estoy seguro: tarde o temprano emergerá de la oscuridad trayendo destrucción. Y tenemos que estar preparados”.

La batalla contra Xykar, que poseía el cuerpo de Orión, fue frenética. Intentamos a toda costa hacer que Orión recuperara la conciencia, expulsar el espíritu demoníaco que lo controlaba.

En un momento, Xykar levantó a Orión en el aire, preparando un hechizo mortal contra mí. Vladimir, incluso debilitado por la vejez, se paró frente a mí, absorbiendo el impacto de la magia negra.

El valiente Vladimir cayó al suelo con un grito agonizante. Aproveché la breve distracción de Xykar y lancé mi contrahechizo, causando que Orión se desmayara y quedara inconsciente, finalmente libre de la posesión maligna.

Me arrodillé junto a mi querido mentor Vladimir, que luchaba por respirar. Su mirada transmitía una serenidad conmovedora. Con lágrimas en los ojos prometí encargarme de todo de ahora en adelante. Confió en mí para proteger a Nightglen.

Y así Vladimir se fue en paz, habiendo cumplido su misión de prepararme y ahora entregando el futuro en mis manos. Tu sacrificio nunca será olvidado...

Después de la trágica muerte de Vladimir defendiendo la aldea de Xykar, su cuerpo fue enterrado en el gran salón de la mansión Shadowthorn, para que todos pudieran presentar sus últimos respetos al amado mago y mentor.

La conmoción fue generalizada entre los residentes de Nightglen. Jóvenes y viejos, poderosos y humildes, todos vinieron llorando y orando ante su ataúd abierto, donde Vladimir yacía en serena paz, como si estuviera durmiendo.

Muchos compartieron historias y recuerdos de cómo Vladimir tocó y mejoró sus vidas a lo largo de los años. Su conocimiento y amabilidad fueron un faro que guió a innumerables magos hacia los caminos de la luz.

Incluso los miembros más severos del Consejo derramaron lágrimas, rindiendo homenaje al sabio cuyo prudente consejo evitó innumerables tragedias a lo largo de los años en Nightglen.

Al ver el dolor sincero de toda la comunidad, realmente comprendí el legado invaluable que Vladimir dejó, mucho más allá de mí. Su vida fue un verdadero regalo y su sacrificio no sería en vano. Protegería a Nightglen en su lugar sin importar nada.

# Entrenamiento intensivo

Apenas el amanecer tocaba el horizonte cuando me encontré inmerso en un entrenamiento incansable. Me dolían todos los músculos del cuerpo, pero la idea de rendirme estaba fuera de discusión.

Golpeé al muñeco de entrenamiento con mi espada encantada, visualizándolo como un enemigo implacable. Cada movimiento, cada esfuerzo, era una preparación para el enfrentamiento que sabíamos que se acercaba.

De repente, una voz familiar sonó detrás de mí:

— No tiene sentido agotar tu energía antes de que comience la batalla...

Era Darius, mirándome con expresión preocupada. Intenté ocultar mi cansancio y le ofrecí una sonrisa forzada:

—Solo calentando... Es fundamental fortalecerse, cueste lo que cueste.

Darius tomó mis manos, su toque me reconfortaba incluso a pesar de mi cansancio.

— Elia, ya eres la hechicera más poderosa que conozco. Y no estamos solos en esta lucha. Dejanos ayudarte.

Suspiré, permitiendo que mis defensas cayeran. Era cierto, mi búsqueda de fuerza imprudentemente me cerró.

— Lo siento... prometo no exagerar. Simplemente no quiero fallarle a Vladimir ni ser testigo del sufrimiento de más personas inocentes.

Darius me dio una mirada de complicidad, como si entendiera todos mis miedos.

— Y no sufrirán. Juntos encontraremos esta nueva amenaza y la enfrentaremos. Sin embargo, también debes cuidarte. Vamos, es hora de desayunar.

Una sonrisa genuina curvó mis labios mientras dejaba que Darius me guiara de regreso al pueblo. Con amigos así a mi lado me sentía invulnerable.

Enfrentaríamos los desafíos que nos deparara el destino, unidos y decididos a no repetir los errores del pasado. La certeza de nuestra unión fue un recordatorio constante de que superaríamos las sombras.

Mientras pasaban los días sin más ataques, me permití relajarme pensando que tal vez lo peor ya había pasado. Que equivocado estaba...

Fue en una noche de tormenta cuando nos llegó el aviso. Se vieron criaturas aladas flotando sobre Nightglen, un presagio siniestro.

Corrí hacia la ventana, un escalofrío recorrió mi espalda al ver las formas oscuras cruzando el cielo nocturno, dirigiéndose hacia nuestro pueblo. Una banda de furias, siniestros sirvientes de la oscuridad.

Tomé a mi bastón y salí a la noche, decidido a enfrentarlos antes de que llegaran a las casas. Encontré a Adelaida y a Orión ya enfrascados en una feroz batalla contra las horribles criaturas de la plaza central.

Sin dudarlo, me uní a la lucha, invocando hechizos de luz para ahuyentar y cegar a las furias. Pero persistieron, aullando de furia ante nuestros esfuerzos.

Entonces, resonó una voz gutural, una voz que hizo temblar hasta mis huesos:

— ¡Ríndanse, tontos! ¡En nombre del Devorador de Almas, entreguen la aldea y les perdonaré sus miserables vidas!

"¡El devorador de almas!" El nombre resonó en mi mente, un nombre que evocaba miedo y desesperación. Sin embargo, no nos doblegaremos ante la oscuridad.

"¡Nightglen nunca se someterá a la oscuridad!" Grité en la noche, desafiando la amenaza que nos rodeaba.

Agotado, atendí las heridas de mis compañeros lo mejor que pude antes de finalmente permitirme descansar. Sin embargo, nuestro momento de paz fue breve.

Al día siguiente, el Consejo se reunió de urgencia. El conocimiento de que el Devorador de Almas nos estaba atacando ahora sembró el pánico en todo el pueblo.

— Necesitamos fortalecer nuestras defensas y estar preparados para lo inevitable. - declaró Gareth seriamente. - Pediré ayuda a los pueblos vecinos para hacer frente a esta amenaza del Soul Eater.

Mi mente estaba inmersa en pensamientos oscuros, preocupada por la inminente batalla que se acercaba. Vladimir, mi mentor y protector, había muerto en la lucha contra Xykar y ahora nos enfrentábamos a una nueva amenaza que era personal para mí.

Durante la reunión, le revelé lo que sabía sobre el Devorador de Almas, cómo había escapado a través del portal del inframundo cuando fui a rescatar a Orión. Sin embargo, este ser aterrador aún no se ha presentado para luchar directamente.

Nuestros días ahora estaban llenos de preparación y entrenamiento, y cada miembro de la aldea contribuía a la defensa de Nightglen. Tenía un papel especial que desempeñar, no sólo como una poderosa hechicera, sino como alguien que poseía una conexión única con el Devorador de Almas.

En medio de los preparativos, encontré consuelo en los rostros familiares que estaban a mi lado. Adelaida, Orión y Dário fueron mi fuerza, mi ancla en medio de la tormenta que se formaba. Juntos trazamos estrategias y fortalecemos nuestros vínculos.

A medida que se acercaba el día de la batalla, los residentes de Nightglen se sintieron presa de una mezcla de ansiedad y determinación. No éramos sólo un pueblo, éramos una familia unida por el objetivo de proteger nuestro hogar.

El día decisivo, con la amenaza del Devorador de Almas cerniéndose sobre nosotros, los pueblos de los alrededores enviaron refuerzos para unirse a nuestra lucha. La atmósfera estaba cargada de tensión mientras nos posicionábamos para enfrentar lo desconocido.

Las horas fueron pasando y finalmente vimos la llegada de las primeras sombras aladas al horizonte. Las Furias, sirvientas del Devorador de Almas, anunciaron el inicio de la batalla.

Luchamos con determinación y coraje, enfrentándonos a las furias en una danza de hechizos y espadas. La unión entre los residentes de Nightglen y los refuerzos de los pueblos vecinos resultó esencial, y juntos formamos un escudo de luz contra la oscuridad que se acercaba.

La batalla duró hasta que emergieron los primeros rayos del sol y las furias restantes se dispersaron, incapaces de resistir la luz del día. Estábamos exhaustos, heridos, pero triunfantes.

A pesar de la victoria, sabía que Soul Eater todavía estaba ahí afuera, esperando su oportunidad. No apareció personalmente en la batalla, pero su presencia se cernía sobre nosotros como una amenaza constante.

La victoria no marcó el final de nuestra lucha, sino sólo el comienzo de un nuevo capítulo en nuestro viaje. El Devorador de Almas todavía estaba al acecho, y estaba decidido a enfrentarlo, descubrir por qué estaba interesado en mí y proteger a Nightglen a toda costa.

Entonces, nos preparamos para lo que vendría, sabiendo que enfrentaríamos desafíos aún mayores y que nuestros vínculos se pondrían a prueba. No importa cuán oscuro pareciera el futuro, nos teníamos el uno al otro y teníamos la fuerza para enfrentar lo desconocido. Y así continuamos nuestra lucha contra la oscuridad, confiados en que al final la luz prevalecería.

# Reanudando el matrimonio

Hasta ahora ha habido muchas pérdidas importantes. Pero me prometí a mí mismo y a mi maestro Vladimir que seguiría viviendo y para ello necesitaba empezar donde lo dejé...

El sol brillaba intensamente, envolviendo la mansión Shadowthorn en un resplandor dorado. Nuestros invitados comenzaron a llegar trayendo regalos mágicos y sonrisas de alegría. El salón de baile estaba adornado con finas telas de seda, cristales brillantes y flores encantadas que exudaban un aroma celestial.

Adelaide entró en la habitación con un vestido suelto y una corona de flores en su cabello plateado. Sus ojos brillaron de orgullo mientras caminaba hacia el altar, donde Vladimir la esperaba con una sonrisa nostálgica.

Luego fue mi turno. Yo, envuelta en un vestido hecho de finas capas de seda y adornado con encaje plateado, caminaba junto a mi padre. Su mirada estaba llena de ternura y gratitud, emocionada de ver a su hija encontrar el amor verdadero. Las emociones me inundaron, haciendo que el mundo pareciera mágico y lleno de promesas.

Ante mí, Darius esperaba, elegante y radiante. Sus ojos iridiscentes brillaban como dos faros de luz y su sonrisa era la melodía más dulce que acariciaba mi alma. Los invitados contuvieron la respiración mientras se pronunciaban las palabras del ritual, sellando nuestro compromiso por la eternidad.

Cuando el celebrante anunció que ya podíamos besarnos, la energía mágica se intensificó. Una profusión de coloridos fuegos artificiales llenó el aire, bailando a nuestro alrededor en un espectáculo de luz y magia. Todos los presentes aplaudieron y celebraron el amor que allí floreció.

La noche siguió siendo festiva, con fiestas increíbles, bailes encantadores y momentos de diversión que llenaron el aire de risas y admiración. Magos y criaturas mágicas se unieron en una celebración única, dejando de lado las diferencias para abrazar el amor y la felicidad que irradiaban.

Cuando llegó el momento de partir, nuestro destino era un lugar mágico, reservado para que los novios disfrutaran de las maravillas y encantos del mundo. Nos subimos a un carruaje decorado con flores y hojas vibrantes y nos dirigimos a nuestra nueva vida, donde nos esperaban la aventura y la magia.

Mientras caminábamos juntos por el bosque encantado, Darius y yo disfrutamos de un momento de paz después de nuestra emotiva ceremonia nupcial. Las brillantes hojas verdes sobre nosotros parecían susurrar palabras de felicidad, mientras los pájaros cantaban una sinfonía de alegría a nuestro alrededor.

"Mi amor", dijo Darius, sus palabras llenas de emoción. "No puedo creer que finalmente seamos marido y mujer. Este viaje que iniciamos desde el momento en que nuestras miradas se encontraron trajo mucha magia y encanto a mi vida".

Le sonreí, sintiendo la calidez de sus palabras llenar mi corazón. "Yo también, mi amado Darius. Con cada momento que compartimos, me siento más empoderado y bendecido. Tú eres mi refugio seguro, la llama que alimenta mi alma. Juntos, tenemos el poder de enfrentar cualquier desafío y crear un futuro donde el amor y la magia prevalece."

Darius tocó suavemente mi rostro, acariciando mi mejilla con ternura. "Sí, Elia, nuestro amor es un poderoso hechizo que nos une indisolublemente. Y ahora, como marido y mujer, estamos destinados a explorar las maravillas del mundo mágico que nos rodea. ¡Qué aventuras nos esperan, querida, dónde juntos estaremos!" Daremos forma a la historia con nuestro amor y compasión".

Mientras nuestros corazones latían al unísono, cabalgamos hacia el horizonte, sabiendo que nuestro viaje apenas comenzaba. Entre risas y susurros, promesas y sueños compartidos, dejamos huellas encantadas que resonarían por toda la eternidad.

Y así, juntos, Darius y yo nos embarcamos en una gran aventura, entrelazando nuestros destinos con la magia del amor. Estábamos preparados para afrontar cualquier reto, caminar por tierras desconocidas y escribir nuestra historia con los colores más exuberantes de nuestra imaginación.

Sosteniendo firmemente la mano de Darius, susurré: "Juntos, amado mío, crearemos un mundo donde la magia florecerá en todas sus formas, donde los sueños se harán realidad y donde la belleza encantada nunca se desvanecerá. Nuestra unión es una historia mágica que trascender el tiempo y ser recordado para siempre."

Con una brillante sonrisa en sus labios, Darío respondió: "Que así sea, amado mío. Que nuestro amor se desborde e ilumine la oscuridad, dejando un rastro de encantamiento y admiración dondequiera que vayamos. Nosotros, los protectores del reino mágico, seremos Una leyenda viviente que teje magia en cada rincón y transforma lo banal en algo extraordinario".

Y así, aventureros del amor y narradores de historias mágicas, partimos juntos en busca de un destino radiante, donde nuestros corazones fueran el hogar de la fuerza y la pasión. Nuestra historia, una fuente eterna de inspiración, trascendería los límites de la imaginación, brindando esperanza y asombro a todos los que la escucharan.

# Hogar dulce hogar

Cuando dejamos atrás los coloridos campos y entramos en el sinuoso sendero de la montaña, la emoción palpitaba en mi pecho. Darius, con un brillo en los ojos, anunció que nuestra luna de miel sería en una cabaña especial a orillas de NightGlen. Era el refugio que su padre, Darkthorn, había construido con tanto amor.

Rodeados por la mágica neblina del bosque, finalmente llegamos al apacible claro donde descansaba la cabaña, rodeada de la majestuosa grandeza de las montañas. Las paredes de madera parecían palpitar con la energía de las historias y recuerdos que contenían. La cabaña estaba rodeada de hermosas flores silvestres, cuyos pétalos bailaban suavemente con la brisa.

Darius, al abrir la puerta de la cabaña, reveló un interior acogedor, inundado por la suave luz del crepúsculo. Allí, la chimenea esperaba para calentar nuestros cuerpos mientras el amor calentaba nuestras almas. Los muebles rústicos y los detalles mágicos revelaron la presencia de Darkthorn, trayendo consigo la sensación de que la cabaña nos recibiría como una extensión de la familia que formamos.

"Elia, querida", dijo Darius, con los ojos brillando de felicidad. "Esta cabaña ha sido un lugar de refugio y aprendizaje para mi familia durante años. Ahora es nuestro hogar, un santuario donde compartiremos nuestras esperanzas, sueños y pasiones. Podemos profundizar en nuestros entrenamientos mágicos y fortalecer aún más la vínculo que nos une." "

Emocionada, acaricié las paredes de la cabaña, sintiendo una magia ancestral fluir a través de mí. "Darius, mi amor, este lugar es un regalo precioso. Con tu presencia a mi lado, esta cabaña se convierte en un oasis de amor y magia. Aquí, seremos abrazados por la serenidad de las montañas y nutriremos nuestro poder, uno al lado del otro. , como un alma justa."

Cuando cayó la noche en NightGlen, encendimos un fuego en la chimenea y nos envolvimos en una manta mullida, acurrucándonos juntos bajo el manto estrellado del cielo. Las llamas danzaban en sincronía con nuestras emociones, brindando una sensación de consuelo y protección. Entre sonrisas y susurros compartimos nuestras esperanzas y sueños para el futuro, rodeados de la energía de ese lugar tan especial.

Durante los días siguientes, disfrutamos cada momento explorando los senderos mágicos que serpenteaban por las montañas, guiados por los recuerdos del padre de Darius. Nuestro hogar fue un epicentro de aprendizaje y descubrimiento, donde la naturaleza nos ofreció sus lecciones más profundas. Maduramos en nuestro poder y fortalecemos nuestro vínculo, volviéndonos imbatibles como pareja, como protectores y como amantes eternos.

Mientras NightGlen susurraba sus canciones secretas al viento, serían compartidas con nosotros, alimentando nuestra magia interior y sellando nuestro amor. Darius y yo, en nuestra cabaña encantada, encontramos nuestro propósito en el poder y la armonía que creamos juntos. Durante esa luna de miel abrazamos el presente y sentimos las promesas futuras que florecían dentro de nosotros.

Y así, en nuestra cabaña en las montañas, nos convertimos en guardianes de los recuerdos y enseñanzas de Darkthorn. Un legado que llevaríamos con nosotros, esparciendo amor y magia allá donde fuéramos. Y, en ese mágico refugio, se escribió una nueva página de nuestra historia, una vida llena de aventuras, descubrimientos y amor inquebrantable.

Una tarde soleada, mientras descansábamos en la comodidad de nuestra cabaña, Elia me miró con expresión curiosa. La llama danzante de la chimenea se reflejaba en sus ojos, acentuando su brillo mágico. Sabía que algo estaba ocupando sus pensamientos.

"Querido Darius", comenzó suavemente, acariciando mi mano con amor. "Estos meses pasados aquí en nuestra cabaña fueron un verdadero paraíso para ambos. Pero algo me intrigó... Me gustaría saber más sobre la vida de tu padre, Darkthorn. Siento que hay una historia fascinante detrás de esa poderosa hombre."

Sonreí comprendiendo el deseo de Elia de conocer a quien me trajo al mundo. Llevé su mano a mis labios y, tras un momento de reflexión, comencé a compartir sus orígenes.

"Mi amor, Darkthorn era un hombre legendario, tan enigmático como apasionado por la magia. Dominaba un poderoso linaje de magos conocido como Shadowthorn. Aunque su familia estaba envuelta en un velo de misterio, supe por los susurros del bosque que él era el primero en ganar un lugar de honor en el Consejo de Magos de la Luz."

Los ojos de Elia brillaron con una mezcla de sorpresa y fascinación. "El Consejo de Magos de la Luz... ¡Debe haber sido un hombre extraordinario! ¿Pero por qué hay tan poca información sobre él en los libros? Intenté averiguar más en la escuela de magia de NightGlen, pero las páginas parecían en blanco cuando llegó. a Espino Oscuro."

Abracé a Elia con ternura, sabiendo que la falta de registros la intrigaba. "Mi amor, la historia de Darkthorn es como un viento antiguo que lleva secretos de tiempos antiguos. Prefería una existencia discreta, grabando sus conquistas sólo en los corazones de aquellos a quienes amaba. Los registros de los libros pueden haber sido borrados por elección propia, para proteger aquellos que consideraba más importantes."

Mientras hablaba, sintió una punzada de orgullo y gratitud por ser hijo de aquel hombre misterioso. Darkthorn me legó no sólo su nombre, sino también un poderoso linaje que debería ser honrado.

"Elia, mi dulce compañera de viaje", continué. "Prometo que a medida que descubramos los secretos de nuestra familia y perpetuemos su magia, juntos crearemos una nueva historia. Una historia que será nuestra para siempre, escrita en las estrellas y en las canciones del bosque. Nuestros nombres cobrarán vida no sólo a través de los tomos del conocimiento, sino más bien de los corazones que tocaremos y la magia que compartiremos".

Cuando cayó la noche en nuestra cabaña, nos adentramos en una larga y apasionante conversación sobre los orígenes y los misterios que rodean el linaje Shadowthorn. Juntos, exploramos las enseñanzas que me transmitieron y los sueños que compartimos para el futuro. Sabíamos que nuestro destino estaba entrelazado con la historia de mi familia y prometimos escribir un capítulo vibrante que honraría a quienes nos precedieron.

Y así, mientras las estrellas brillaban en el cielo nocturno, avanzamos con valentía hacia lo desconocido. Sabíamos que la clave para desbloquear los secretos de Darkthorn era nuestra unión, nacida del amor y el deseo de hacer avanzar la magia. Mientras el fuego del hogar crepitaba, el antiguo poder de nuestro linaje nos envolvió, guiándonos hacia nuestro destino: un legado de amor y sabiduría que escribiríamos juntos, en cada página de nuestras vidas.

# Misión secreta

Después de la intensa batalla contra las Furias y la inminente amenaza del Devorador de Almas, la calma se apoderó de Nightglen. Las aldeas se recuperaron de heridas y pérdidas, mientras yo mismo, en mi luna de miel con mi amado Darius, me sumergí profundamente en mis estudios y reflexiones sobre cómo afrontar la siguiente fase de nuestra lucha contra las fuerzas de la sombra.

La vida matrimonial era demasiado buena para Darius y había cosas que podíamos hacer. Pero los días también estuvieron llenos de entrenamiento constante, no sólo para fortalecer nuestras habilidades mágicas y de combate, sino también para mejorar nuestra estrategia. Juntos, trabajamos incansablemente para crear defensas efectivas contra la oscuridad que amenazaba a nuestra aldea.

Durante este período, Darius se distinguió como un líder inspirador. Su determinación, coraje y capacidad para unir a la gente eran cualidades que admiraba profundamente. Se convirtió en un símbolo de esperanza para los residentes de Nightglen, motivando a todos a permanecer firmes ante la adversidad.

Mientras nos preparábamos para nuestra próxima confrontación con Soul Eater, también buscamos comprender mejor sus motivos. Nuestra investigación nos llevó a explorar los registros antiguos de la aldea, buscando pistas sobre los orígenes de este ser oscuro y su conexión conmigo.

Fue entonces cuando descubrimos una antigua leyenda que hablaba de un poderoso artefacto conocido como "La Piedra del Alma". Según la leyenda, la piedra contenía un poder inconmensurable, capaz de controlar las almas e influir en el destino. Se creía que el Devorador de Almas buscaba esta piedra para aumentar su poder y sembrar el caos.

Decidimos que necesitábamos encontrar la Piedra del Alma antes que el Devorador de Almas. Guiados por antiguas inscripciones, emprendemos un peligroso viaje para encontrar el artefacto antes de que caiga en las manos equivocadas.

Nuestra búsqueda nos llevó a lugares remotos y peligrosos, enfrentándonos a criaturas oscuras y desafíos mágicos que pusieron a prueba nuestras habilidades y determinación. Pero con el coraje y la unidad de nuestro grupo, superamos todos los obstáculos que encontramos.

Finalmente, después de meses de búsqueda, encontramos la Piedra del Alma escondida en una cueva profunda, protegida por trampas mágicas. Al llegar al artefacto, sentí una energía siniestra emanando de él, una sensación de que estábamos a punto de desatar un poder que no entendíamos del todo.

Sin embargo, nuestra misión estaba lejos de terminar. Ahora que teníamos la Piedra del Alma en nuestro poder, nos enfrentábamos a una decisión difícil: destruirla para evitar que cayera en manos del Devorador de Almas, o encontrar una manera de usarla contra él.

Las consecuencias de nuestras acciones tendrían un profundo impacto no sólo en Nightglen, sino también en el equilibrio entre la luz y la oscuridad. En medio de las incertidumbres del futuro, una cosa estaba clara: la calma que vivíamos era sólo el ojo de la tormenta. La verdadera batalla aún estaba por llegar y estábamos preparados para afrontarla, armados de coraje, unidad y la fuerza de los vínculos que habíamos construido.

Continuamos nuestro viaje, conscientes de que la lucha entre la luz y la oscuridad estaba lejos de terminar. Sin embargo, estábamos decididos a luchar por nuestra aldea, nuestros seres queridos y el mundo que amábamos. Y así, nos preparamos para el enfrentamiento final contra Soul Eater, confiados en que nuestra determinación y esperanza nos guiarían a través de la oscuridad hacia la luz.

Mientras sosteníamos la Piedra del Alma en nuestras manos, la energía oscura que emanaba de ella parecía latir en sintonía con nuestros corazones acelerados. Sabíamos que esta decisión sería crucial para el destino de Nightglen y de todos los que amamos.

Nuestro grupo, ahora fortalecido por vínculos más profundos y una confianza inquebrantable, se reunió alrededor de la Piedra del Alma en la cámara subterránea. Darius, con su valentía y liderazgo, se acercó a ella y nos miró a cada uno con determinación.

— Ésta es la elección más difícil a la que nos hemos enfrentado jamás. Lo que hagamos a continuación moldeará el destino no sólo de Nightglen, sino del mundo entero. Nuestros enemigos son poderosos, pero también lo son nuestra unidad y convicción. Juntos decidiremos qué es lo correcto.

Las palabras de Darío resonaron en nuestras mentes al enfrentar la magnitud de nuestra decisión. La Piedra del Alma, que representaba tanto poder y peligro, exigía una elección que desafiaría nuestros principios más profundos.

Orión, con sus ojos claros y llenos de determinación, rompió el silencio:

—No podemos permitir que Soul Eater use esto para difundir más oscuridad. Debemos destruirlo.

Adelaide asintió seriamente, su expresión reflejaba la determinación de Orión:

— No podemos arriesgarnos a que este poder caiga en manos equivocadas. La destrucción es la única opción.

Sus palabras hicieron eco de mis propias preocupaciones. Mientras mirábamos la Piedra del Alma, sentí la presencia de Vladimir a mi lado, como un susurro de sabiduría en mi corazón.

— Hay que pensar no sólo en el presente, sino en las generaciones futuras. Si permitimos que este poder se use para el mal, le estamos fallando a quienes amamos y a nuestro deber de proteger la luz.

La determinación de sus palabras se mezcló con el recuerdo de Vladimir, un hombre que dio su vida por nuestra causa. La decisión ha sido tomada.

Con una mirada colectiva, nuestras manos se juntaron y canalizamos nuestras energías hacia la Piedra del Alma. A medida que el brillo oscuro crecía, sentimos una conexión con las almas que nos precedieron, los guardianes de Nightglen que lucharon contra la oscuridad.

Con un último esfuerzo concentrado, la Piedra del Alma se hizo añicos y se disipó en un estallido de luz. Una sensación de alivio y esperanza se extendió entre nosotros, como si hubiéramos tomado la decisión correcta.

Sabíamos que la batalla estaba lejos de terminar, pero teníamos que seguir creyendo en la fuerza de nuestro propósito y la luz que teníamos dentro de nosotros. Con la Piedra del

Alma destruida, el Devorador de Almas quedó debilitado, incapaz de fortalecerse con su poder.

Nuestras miradas se encontraron y un sentimiento de unidad y resiliencia nos acercó aún más. Las palabras de Vladimir resonaron en nuestras mentes: "El camino es largo y la lucha ardua, pero la luz siempre prevalecerá sobre las tinieblas".

Con un corazón firme y decidido, estábamos listos para afrontar el siguiente desafío. La batalla final contra el Devorador de Almas se acercaba y la esperanza brillaba como un faro en nuestro viaje.

# Encuentro con el enemigo

Después de la destrucción de la Piedra de las Almas, Nightglen volvió a caer en una pausa. Aunque la población se sintió aliviada, yo seguí agitado, consciente de que el Devorador de Almas todavía andaba suelto, acechando en las sombras.

Pronto comenzaron a surgir señales de una nueva amenaza. Los informes de extrañas criaturas deambulando por los alrededores, con sus heridas exudando un aura oscura, indicaban que algo más siniestro se acercaba.

Una noche silenciosa, mientras estudiaba solo en la biblioteca de Vladimir, escuché un ruido proveniente del piso de abajo. Me agarré con fuerza a mi bastón y descendí con cautela.

Sin embargo, lo que encontré en la habitación de abajo me llenó de aprensión. Una figura alta y encapuchada hurgaba en los armarios de reliquias de Vladimir, como si buscara algo.

- ¿Quién eres tú? ¿Por que tu estas aquí? - mi voz sonó firme, aunque mi corazón latía rápido. La figura se volvió lentamente hacia mí, dos brillantes ojos rojos mirándome desde las profundidades de la capucha. Un escalofrío recorrió mi espalda. Creo que ya había visto a este ser en mis sueños hablando con Darius...

La voz que respondió sonó cavernosa y oscura:

— Solo estoy recuperando lo que por derecho me pertenece, joven humano. No entenderías lo que está pasando en NightGlen. ¡Los juegos dimensionales entre entidades y titanes han comenzado!

Mi determinación no flaqueó:

— ¡No permitiré que robes nada de esta casa! ¡Te sugiero que te vayas inmediatamente, extraño!

Una risa siniestra escapó de los labios de la figura, resonando en las paredes como un susurro de oscuridad.

— Qué guerrero tan valiente eres... pero me temo que aún no estás listo para enfrentarme usando solo un bastón. Pronto nuestros caminos se volverán a cruzar en juegos dimensionales.

Sin que yo pudiera reaccionar, se disolvió en una nube de humo negro, disipándose en la noche. Alertar a otros sobre el extraño intruso no se hizo esperar y la alarma se extendió.

—¡Podría ser un sirviente del Devorador de Almas! - exclamó Orión, con la mirada fija en el horizonte.

Sin embargo, mis sospechas eran otras:

— No... él era diferente. Más viejo y más poderoso. Se acerca una amenaza aún más terrible.

Los días siguientes estuvieron ocupados por los preparativos. Reforzamos nuestros hechizos de protección y nos sumergimos en una investigación incansable para comprender la amenaza que se aproxima. Fue entonces cuando algo en las viejas notas de Vladimir llamó mi atención.

— Encontré algo en estos escritos antiguos... Hablan del Devorador de Almas. Creo que él mismo irrumpió en nuestra casa esa noche.

Adelaide compartió mucha información:

— Hace siglos, el mago Altas desafió al Devorador de Almas y lo encarceló en otro plano usando un poderoso artefacto. Ahora ha regresado, posiblemente después del relicario que tu madre, Isadora, te dio antes de que vinieras a Nightglen... busca venganza.

Un escalofrío recorrió mi espalda cuando me di cuenta de que sin darme cuenta había traído esta terrible amenaza a Nightglen.

Pero los orígenes no importaban, nos enfrentaríamos al enemigo lado a lado. Esta vez estábamos preparados para la inminente batalla.

La verdad sobre el Devorador y el medallón de Altas me golpeó como un puñetazo en el estómago.

—Entonces, traje destrucción a Nightglen... ¿Cómo pude ser tan imprudente?

Adelaide intentó calmar mi culpa, pero el dolor de la situación era innegable. Era hora de arreglar lo que habíamos desatado sin querer.

Siguieron días angustiosos, llenos de discusiones e investigaciones para encontrar una manera de detener al Devorador. Finalmente, Adelaide propuso una idea arriesgada, pero aparentemente era nuestra única esperanza.

— Debemos devolver el medallón al lugar donde Altas originalmente encarceló al Devorador. Una grieta en las profundidades prohibidas de la Cueva de las Almas Perdidas nos conducirá al Upside Down. Allí sólo podremos volver a sellar al Devorador.

Mi ansiedad creció:

- ¿Donde es este lugar?

Adelaide parecía aún más sombría:

— En las profundidades embrujadas de la Cueva de las Almas Perdidas, hay una grieta que conduce al Revés. Ninguno de los que entraron allí volvió por el mismo camino. Pero no tenemos opción.

Aunque la noticia era desalentadora, no podíamos dar marcha atrás. Saldríamos hacia la cueva maldita y enfrentaríamos la incertidumbre, atrayendo al Devorador de Almas al Revés y sellándolo en prisión.

La noche anterior al viaje, una siniestra pesadilla me envolvió, una voz cavernosa gritando mi nombre. Me desperté temblando y sudando.

Darius me envolvió en un abrazo protector, tratando de calmar mi agitación. Sabía que él también estaba asustado, pero su presencia me trajo algo de consuelo.

— Todo va a estar bien... estamos juntos. - Traté de convencerme de las palabras.

La mañana llegó nublada y pesada. Partimos bajo el velo de la niebla, unidos contra el mal que nos esperaba.

Frente a la oscura entrada de la Cueva de las Almas Perdidas, nos topamos con el abismo. Su interior se tragó la luz, una oscuridad densa y opresiva. Nuestras varitas iluminaron el camino estrecho y húmedo por el que entramos. Susurros y gemidos resonaban desde las profundidades, alimentando nuestro miedo.

A medida que avanzábamos, el medallón alrededor de mi cuello comenzó a brillar intensamente y su luz se reflejaba en las paredes de roca. Nos estábamos acercando.

Finalmente, cruzamos la grieta espacio-temporal y emergemos al mundo al revés.

El ambiente le resultaba familiar, como una copia oscura de Nightglen. Calles conocidas, casas parecidas, pero inmersas en una atmósfera invertida y siniestra.

La casa de mi padre apareció a lo lejos, casi idéntica a la de Nightglen. No lo dudé y entré, subiendo las escaleras con cuidado para evitar trampas. Cuando entré a la habitación que correspondía a la mía en el mundo real...

Una risa profunda y amenazadora resonó, cortando el silencio. El Devorador de Almas emergió de las sombras, sus ojos rojos brillando en la oscuridad como brasas incandescentes.

— Necios... entreguen lo que por derecho es mío... y tal vez les perdone la vida.

Mi respuesta fue instantánea y decidida:

- ¡Nunca!

El Devorador avanzó con su aura maligna. Reaccioné con todo el poder de mis hechizos de luz, pero estaba claro que me enfrentaba a un enemigo de fuerza ancestral y poder inconmensurable.

Cuando mis fuerzas me fallaban y estaba a punto de ser consumido por la oscuridad, el Devorador preparó su golpe final contra mí. Sus garras envenenadas apuntaron a mi pecho, a punto de destrozarme. Fue en ese momento que Darius se arrojó frente a mí, llevándose unas garras envenenadas a su hombro.

En un último esfuerzo, junté toda la energía que me quedaba y canalicé el poder del medallón de Altas. La energía brilló intensamente, desterrando al Devorador de Almas de regreso a las profundidades de la oscuridad de donde emergió.

Nos encontramos de nuevo en la superficie, a salvo de la confrontación, pero la herida de Darius permaneció abierta, exudando un aura oscura. Había sido maldecido por la garra envenenada del Devorador en esa cueva maldita.

Veneno maligno corría por sus venas, pero Darius ocultó esta verdad a todos, incluyéndome a mí. Él conocía el peso de la maldición que lo estaba carcomiendo, pero su amor por mí lo llevó a soportar el sufrimiento solo, prefiriendo esa carga a causarme más dolor.

La maldición lo consumió como un fuego devorador, corroyendo su ser. Sin embargo, Darius decidió enfrentar esta batalla interna en silencio, ya que no podía soportar perderme, especialmente después de que finalmente estuviéramos libres de la amenaza del Devorador. Estaba dispuesto a enfrentar la oscuridad que lo consumía, incluso si eso lo llevara a su propia caída.

Ante nosotros se abrió un destino incierto, un camino de valentía y sacrificio. Y así, después de enfrentarnos al Devorador de Almas, nuestro amor y determinación se pondrían a prueba, mientras Darius enfrentaba una batalla interna que podría sellar su destino para siempre.

# El despertar del mal

En las semanas siguientes, Darius luchó valientemente contra la maldición del Devorador, sintiendo la oscuridad carcomiendo su espíritu. Cada día era una batalla perdida contra el mal que crecía dentro de mí.

Hasta que no pudo más. Una noche de luna llena, cegada por el dolor y la desesperación, huyó al oscuro bosque. Los altos árboles parecían testigos mudos de mi agonía.

Allí, donde las sombras se entrelazaban con sus pensamientos más oscuros, levantó sus manos hacia el cielo, invocando los poderes de las tinieblas que ahora habitaban en mí. El trueno resonó como un coro de dolor y la lluvia comenzó a caer como lágrimas del cielo, haciendo eco del caos que se apoderaba de mí.

— ¡Si este es mi destino, que así sea! ¡Acepto el poder que intenté negar durante tanto tiempo!

Mientras tanto, de vuelta en el pueblo, me desperté asustado, con una profunda angustia oprimiéndome el pecho. Una conexión invisible pareció atraerme allí, como si de alguna manera supiera lo que estaba pasando.

Salí corriendo, las gotas de lluvia se mezclaron con las lágrimas que sabía que había derramado por él. A medida que me acercaba al claro, la luz sombría que lo rodeaba contrastaba con la noche oscura, como una premonición de lo que estaba por venir.

Al llegar al claro, me encontré con su mirada desolada, reflejo de su propia oscuridad. Susurré su nombre, mi voz temblaba y las lágrimas que corrían por mi rostro eran como un espejo de las suyas.

— Darío... ¿qué hiciste? - mi voz tiembla, mis palabras un eco de mi incredulidad.

— ¡Finalmente acepté mi verdadero destino, Elia! exclamó, una risa amarga escapó de sus labios. - ¡El destino de un sirviente de la oscuridad!

Las lágrimas se mezclaron con la lluvia mientras lo miraba, sabiendo que la oscuridad se había convertido en su compañera inseparable.

— ¡Ese no eres tú, Darío! ¡Lucha contra esta oscuridad antes de que te consuma!

Una mueca de dolor se formó en su rostro, una lucha desesperada se desarrollaba en su interior. Pero la oscuridad prevaleció, transformando su expresión en una sonrisa siniestra.

— Demasiado tarde, Elia... ¡el Darius que conociste está muerto! ¡Solo queda Lord Daarzak!

Lanzó una ráfaga de energía oscura hacia mí y la esquivé por poco.

— No hagas esto... ¡aún hay luz dentro de ti!

Ignoré sus palabras, consumida por mi propia ira y amargura. Nuestros hechizos chocaron con los de Orión y los demás, una batalla que sabía que no podía ganar.

En medio del intercambio de hechizos y relámpagos, el impacto final lo golpeó. Cayó de rodillas y el último aliento de vida escapó de su cuerpo.

— Yo... perdono... Elia... - susurró, sus palabras llenas de arrepentimiento y remordimiento, antes de que la maldición finalmente lo tragara por completo.

Me acerqué, sosteniendo su cuerpo sin vida en mis brazos temblorosos. Sus palabras fueron su despedida, un testimonio de un amor que no pudo proteger. La lluvia siguió cayendo, empapándonos y arrastrando la tristeza que llenaba el aire.

— No... Darius... por favor... ¡no me dejes! - mis súplicas desesperadas resonaron en el aire, pero él estaba más allá de cualquier respuesta.

Fue muy tarde. Él se fue, llevándose consigo una parte de mí que nunca podría recuperarse. Intenté susurrar una súplica de perdón, una promesa incumplida, mientras la oscuridad lo envolvía por completo.

En ese momento oscuro, lo único que quedó fue el eco de una historia interrumpida, de un amor que no tuvo oportunidad de florecer y del vacío del anhelo eterno.

"¡Mi nombre es Darius y nunca me detuve a reflexionar sobre las cosas que hice o cómo sería mi vida y mi muerte si fuera una persona normal como tantas otras!

¡No! Realmente nunca paré hasta conocer el miedo de perder un gran amor... Hice muchos planes para nosotros, pero mi destino estaba marcado para siempre.

La maldición que habita en mi sangre es como un veneno que me consume lentamente. Desde pequeña he vivido con susurros en mi mente, intentando corromperme.

Durante años resistí valientemente, motivado por tu amor y apoyo, mi dulce salvación. Pero al final creo que la oscuridad prevaleció, convirtiéndolo en el terrible monstruo que me rompió el corazón.

Se entregó a las sombras y lastimó a todos los que lo amaban, cegados por una ambición excesiva. Fui una tonta al creer que podía ayudarlo a desafiar su maldito destino, pero el bien y el mal jugaron un juego peligroso con él.

Ahora, derrotado, todos los momentos de luz parecen lejanos mientras la oscuridad finalmente lo traga, lentamente, como si saboreara su vida.

Aun así, hay esperanza. Me dejó una nueva vida nacida del amor y la pureza, a pesar de sus defectos. Ella será fuerte y se sentirá bien, de eso no tengo ninguna duda. Entonces tal vez su vida no lo fue".

# Una luz en el horizonte

Después de la muerte de Darius, me alejé de todos en Nightglen y viví mi dolor en soledad. La vida perdió su color sin mi amor y no me importaba lo que sucediera a mi alrededor.

Hasta que, meses después, descubrí que estaba embarazada. Lágrimas de felicidad mezcladas con lágrimas de tristeza. Una vida nueva, fruto de nuestro amor, creció dentro de mí.

Sin embargo, la alegría pronto dio paso al miedo. ¿Y si el niño hubiera heredado la oscura maldición que se llevó a Darius? Las últimas palabras de Lord Damus resonaron en mi mente:

"La semilla de la Oscuridad ha sido plantada..."

Puse mis manos sobre mi estómago con una súplica silenciosa. ¡No, no podía perder esta última conexión con mi amado en las sombras!

Busqué a Adelaide y le conté lo del embarazo. Sus ojos mostraron que compartía mis miedos.

— Si el niño realmente heredó algún rastro de este mal, tendremos que actuar para salvarlo. - dijo Adelaida.

Al ver la determinación de Adelaide, sentí una chispa de esperanza. Mi hijo tendría una oportunidad, rodeado de tanto amor y poder.

Juntos, aseguraríamos que la semilla de la Oscuridad nunca dé frutos. Esta nueva vida sería la prueba de que el bien siempre puede florecer incluso en la oscuridad.

Y así, apoyada por mi nueva familia, esperé con esperanza el futuro que crecía en mi vientre.

A medida que avanzaba el embarazo, luché con sentimientos encontrados. La felicidad por la vida que llevaba en mi vientre y el miedo a heredar alguna característica dañina de mi padre.

Adelaida me apoyó incondicionalmente. Parecía optimista de que, con la atención adecuada, podríamos garantizar un parto normal y saludable.

Orión también ha estado a mi lado, a pesar de nuestra difícil historia. Entendía bien el dolor de la oscuridad y haría cualquier cosa para evitar que otra vida se perdiera en la oscuridad.

Incluso Gareth, normalmente tan escéptico, expresó su entusiasmo por la llegada de su nieto. Encargó juguetes, ropa y planeó todos los detalles para recibir al bebé.

Finalmente, después de lo que pareció una eternidad, llegó el día. Adelaide y su equipo de curanderos hicieron todo lo posible para asegurarse de que todo saliera bien.

Después de horas insoportables, escuché el llanto fuerte y saludable de mi hijo. Elius, como decidimos llamarlo. Tan pronto como lo vi, supe que todo iba a estar bien.

Tenía los ojos color miel y los rizos negros de su padre, pero ningún signo de oscuridad lo marcaba. A pesar de sus oscuros orígenes, Elius nació puro y limpio.

La semilla de la Oscuridad no dio fruto. El amor triunfó sobre el odio. Y por fin volví a ver la luz en el horizonte.

# Volver a Gramática

Crié con amor a mi hijo Elius en Nightglen durante los meses siguientes. Sin embargo, un pensamiento no me dejaba en paz. El Consejo no vio con buenos ojos nuestra historia.

Un día, escuché a los miembros del Consejo comentar sobre la necesidad de vigilar al niño para "garantizar que no representara una amenaza futura". Se me heló la sangre.

Esa noche tuve una conversación seria con Adelaide y Orión.

— No puedo dejar que le hagan nada a mi hijo. Necesito protegerlo, lejos de aquí.

Lo lamentaron pero entendieron mi decisión. Al día siguiente haríamos las maletas para partir hacia mi tierra natal, Grammaria. Allí estaríamos a salvo.

Orión se ofreció a acompañarnos en el viaje y garantizar nuestra seguridad. Mi padre Gareth también vendría, para que no nos volviéramos a separar.

Salimos bajo la mirada desaprobadora del Consejo. Pero mantuve la cabeza en alto. Elius merecía una vida plena y feliz, sin el peso del pasado de sus padres. Yo te lo proporcionaría.

El viaje fue tenso y agotador. Orión permaneció alerta, temiendo una emboscada en cualquier momento. Afortunadamente, llegamos a mi antiguo pueblo natal sin incidentes y pronto mi madre nos recibió felizmente.

Allí, bajo el sol brillante y el cielo azul, crié a Elius en paz durante años. Rodeado de amor, la sombra del pasado pronto se disipó, dejando sólo buenos recuerdos.

Y mientras veía a mi hijo crecer fuerte, amable y lleno de luz, supe que había tomado la decisión correcta. Por muy grande que fuera la oscuridad, la esperanza siempre renacería para iluminar nuevos caminos.

Algunos años después...

Era una mañana soleada en Gramaria cuando llegó una carta inesperada. Reconocí la letra caprichosa de mi madre Isadora.

Con dedos temblorosos abrí el sobre y comencé a leer. Cuando las palabras revelaron su contenido, lágrimas de emoción brotaron de mis ojos.

Después de todos estos años separados, mis padres redescubrieron el amor que una vez los unió. Isadora escribió para decir que ella y Gareth han decidido darle otra oportunidad a su relación.

¡No lo podía creer! Después de tanto sufrimiento, ¡por fin una buena noticia!

Los dos habían madurado y deseaban sinceramente empezar de nuevo, esta vez unidos por un amor más profundo y sabio. Y querían celebrar esta unión renovada aquí mismo en Gramaria, rodeados de sus seres queridos.

Elius vino corriendo para averiguar el motivo de las lágrimas y le contamos la noticia. Pronto ambos estábamos saltando y riendo, inmersos en la felicidad.

El día deseado se organizó una gran fiesta en la playa al atardecer. Cambié mi vestido negro por uno azul lleno de flores, simbolizando los días más claros.

Cuando Isadora apareció vestida de blanco, del brazo de Gareth, apenas pude contener las lágrimas. Su sonrisa era la más radiante que jamás había visto.

Durante la sencilla pero conmovedora ceremonia, miré a mi alrededor y vi cuánto había curado esta nueva unión las heridas de tantos presentes.

El amor siempre encuentra un camino, incluso cuando parece extinto. Y esa noche junto al mar, renació la esperanza en nuestros corazones.

Durante la recepción de la boda, me encontré recordando todos los altibajos que condujeron a ese momento de alegría. Mi mirada se perdió en el horizonte, donde el sol se ponía en el mar.

Cuántas lágrimas se derramaron, cuántas pruebas se enfrentaron... Pero a pesar de todo, todavía había espacio para nuevos comienzos y felicidad.

No pude evitar pensar en Darius y en cómo desearía que hubiera estado allí para ver este momento. El dolor de su pérdida todavía vivía en mi pecho. Pero ahora tenía un tono agridulce y nostálgico.

Sentí una mano reconfortante en mi hombro. Orión me miró con una sonrisa gentil, muy diferente de sus oscuros caminos del pasado.

— No estés triste en una ocasión como ésta. Sé que él también estaría feliz por ti.

Orión extendió su mano en silenciosa invitación. Con un gesto de agradecimiento, acepté. Bailamos al son de la música suave sobre la suave arena a la luz del atardecer.

La brisa del mar secó las lágrimas rebeldes que corrían por mi rostro. Pero Orión simplemente me guió con calma a través del baile, transmitiéndome una serenidad silenciosa.

En ese momento supe que sin duda vendrían días mejores. De las cenizas del sufrimiento surgieron nuevas esperanzas. Solo era cuestión de tiempo.

Mientras bailábamos, algo llamó mi atención. Elius nos observaba desde lejos, y había algo extraño en su mirada, casi como... un sentimiento de desaprobación.

De repente, un fuerte viento arrasó la fiesta, derribando la mesa y las sillas, dejando a todos en pánico. Fue entonces cuando vi que los ojos de mi hijo se pusieron rojos, sólo por un momento.

Mi corazón se congeló. A pesar de todo el cuidado puesto para mantenerlo alejado de esa sombra, los poderes de Darius corrían con fuerza por las venas del chico. Y cuando me vio bailando con alguien que no era su padre, despertó algo oscuro en su interior.

Rápidamente me alejé de Orión y fui hacia Elius, quien parecía asustado y confundido como los demás. Acaricié su rostro, tratando de calmarlo, a pesar de que mi mente estaba llena de preocupaciones.

— Sólo fue una tormenta de viento inesperada, ¿vale? ¡Empaquemos las cosas y terminemos la fiesta! - exclamé en voz alta a los invitados.

Eché un vistazo rápido a Gareth e Isadora. No tenían que lidiar con esa carga, no ahora. Lo resolvería yo mismo... de alguna manera.

Mientras ayudaba a arreglar todo, Elius vino a disculparse. Fingí que no había pasado nada, aunque me dolía el corazón.

La semilla de la oscuridad no se extinguió por completo. Necesitaría redoblar mi cuidado y entrenamiento con Elius.

Nunca permitiría que las sombras lo consumieran como lo hicieron con su padre.

# Revelaciones peligrosas

Los años transcurrieron pacíficamente en Grammaria. Crié a Elius con mucho cuidado y cariño, ocultándole su lado oscuro. Orión era un tío cariñoso que me ayudaba a cuidarlo.

A medida que Elius crecía, contaba historias sobre mis hazañas, pero omitía detalles sobre su padre. El chico tenía buen corazón y yo quería conservarlo.

Hasta que un día me enfrentó:

— Mamá, ¿por qué siempre me tienen que vigilar? ¡Quiero salir solo y conocer a otros jóvenes magos de la escuela de magia! ¡Estoy listo!

Suspiré. No podía retrasar más la verdad. Le indiqué que se sentara a mi lado.

— Hijo mío... es hora de saber más sobre tu padre, y el motivo de tanto cariño.

Entonces le dije todo. La maldición de Darius, nuestro amor, su caída en la oscuridad... y el miedo a que algún día le pasara lo mismo.

Elius escuchó todo en shock. Vi el dolor en sus ojos cuando supo la oscura historia que le dio origen.

— Entonces... ¿soy un monstruo? ¿Destinado a la oscuridad como mi padre?

Lo abracé fuertemente.

- ¡Claro! ¡Eres libre de trazar tu propio camino en la luz! Pero debemos tener cuidado... Sólo quiero protegerte.

Después de un rato de silencio, Elius me miró con determinación:

— Juntos superaremos este oscuro legado. Honraré el nombre de mi padre al no repetir sus errores. ¡Yo prometo!

Sonreí con lágrimas en los ojos. Mi hijo creció fuerte y justo. La oscuridad en su sangre no lo definía. Y yo estaría allí para guiarte hacia la luz.

Después de nuestra conversación sincera, decidí que Elius estaba listo para estudiar en la Escuela de Magia de Nightglen. Orión lo vigilaría, por si acaso.

Elius apenas pudo contener su felicidad al escuchar la noticia. Finalmente conocería a otros jóvenes magos y aprendería hechizos más allá de los básicos que yo le enseñé.

Lo llevé personalmente el primer día de clases. Ver esos pasillos y habitaciones donde yo mismo estudiaba me daba nostalgia. Elius apenas se llenó de curiosidad y entusiasmo.

— ¡Pórtate bien, estudia mucho y no dudes en visitarnos cuando quieras! - recomendé, con lágrimas en los ojos, mientras lo dejaba en la puerta del dormitorio.

— ¡Puedes dejarlo, mamá! ¡Te haré sentir orgulloso a ti y a tu padre! - respondió abrazándome fuerte.

Mientras lo veía desaparecer entre los otros estudiantes, sentí una mezcla de aprensión y esperanza. Mi hijo era mayor. Y hice lo mejor que pude para prepararlo bien.

Incluso lejos, seguiría cuidándolo. Pero ahora Elius necesitaba forjar su propio camino y demostrar que estaba solo. Y confié en su corazón justo y en la luz que lo guiaba.

La oscuridad en su sangre no era dueña de su destino, si así lo deseaba. Y estaré ahí para ayudarte si lo necesitas.

# La promesa

Las decisiones de Darius y su trágico destino nos han traído angustia y sufrimiento a mí y a todos en NightGlen. Pero ahora la historia da un nuevo giro, un rayo de esperanza en medio de la oscuridad.

Recordar ese momento de dolor cuando me dejó devastada no es fácil... Con lágrimas en mis ojos, contuve el dolor dentro de mi pecho - pero un regalo que Darius dejó atrás, Elius es un recordatorio de que a pesar de sus defectos, él fue capaz para traer luz al mundo.

Me prometo a mí mismo que Elius no se verá contaminado por la maldición que cayó sobre su padre, que su destino estará moldeado por el amor y el coraje que compartimos.

Al decir mi último adiós al hombre que una vez sostuvo mi corazón, planto una semilla de esperanza en el suelo de mi futuro. Darius ya no está, pero me dejó un legado, y es mi deber proteger y nutrir ese legado con todo mi ser.

Miro al cielo, envuelta por la suave melodía de la lluvia que sigue cayendo, y siento como si las propias estrellas derramaran lágrimas silenciosas por la pérdida de un héroe caído. Tus acciones pueden haber sido oscuras, pero el recuerdo de tu amor y redención permanecerá en mi corazón para siempre.

Aferrándome al dolor dentro de mí, siento una llama de determinación ardiendo en mi alma. Protegeré a nuestro hijo, cuidándolo con la bondad y compasión que Darius no pudo conocer. Él será un faro de luz, una esperanza en medio de la oscuridad, y juntos enfrentaremos los desafíos que el destino nos depara.

Mientras la lluvia borra mi tristeza, hago un juramento solemne a mí y a Darius. No permitiré que tu muerte sea en vano. Seré fuerte por él y honraré su memoria construyendo un futuro lleno de amor y magia que tanto anhelaba.

La historia de Darío puede tener un final trágico, pero la historia de Elio aún se está escribiendo. El camino será arduo y tortuoso, pero con el amor y el coraje como armas, podremos crear una historia de felicidad y esperanza que trascenderá las sombras y traerá un nuevo significado a nuestro mundo encantado.

Y así, mientras las estrellas brillan en el cielo empapado de lágrimas, sigo adelante, honrando la memoria de Darius y llevando su amor conmigo mientras nos embarcamos en un viaje de aventura, resiliencia y la magia que impregna nuestras vidas.

# Epílogo

Mi nombre es Elius y esta es mi historia. Desde temprana edad fui criado bajo la firme protección de mi madre, Elia, y mi tío Orión. Siempre me mantuvieron alejado del oscuro legado que pesaba sobre nuestra familia: el legado de mi difunto padre, Lord Daarzak.

Durante mucho tiempo no entendí el motivo de tanto secretismo y cautela. Pero finalmente mi madre me reveló la verdad que me habían ocultado: llevaba en mis venas la sangre maldita de las tinieblas, heredada de mi padre.

Un escalofrío recorrió mi espalda cuando descubrí esta carga que llevaba. ¿Era entonces mi destino seguir los mismos oscuros pasos que mi padre? Me negué a creerlo. Haría mi propio destino.

Decidí que iría a la Escuela de Magia Nightglen, decidida a seguir un camino de luz y bondad. Pronto encontré compañeros de viaje, como el relajado Lucas y la sagaz Sophia. Me apoyaron y creyeron en mi capacidad para superar la sombra que se cernía sobre mi nombre.

Por supuesto, también encontré obstáculos en el camino. Marius, un colega arrogante, aprovechaba cada oportunidad para provocarme, recordando siempre la oscura reputación de mi linaje. Pero no me dejé desanimar por sus provocaciones. Yo era más fuerte que eso.

A medida que avanzaban las clases, descubrí que tenía un talento innato para los hechizos. Mi control todavía necesitaba mejorar, pero me negué a rendirme. Estaba decidido a usar mis poderes de manera responsable y por el bien de todos.

A veces la oscuridad intentaba seducirme. Pero resistí, con todas las fuerzas de mi ser. Sabía que la pureza y sabiduría de mi madre y de mi tío me guiaron en este tortuoso camino, aunque estuvieran físicamente distantes. No los defraudaría.

Soy Eluis y soy dueño de mi propio destino. Me niego a ser definido por un legado oscuro. Con cada paso que doy, ilumino mi propio camino hacia la grandeza. Juro hacer de mi destino una historia de valentía, justicia y redención.

Mientras miro las estrellas que brillan en el cielo nocturno, siento una llama ardiente dentro de mí. Mi determinación arde como un sol radiante, desterrando las sombras que intentan envolverme. Estoy destinado a ser un héroe con un corazón brillante.

Entonces mi viaje continúa. Con determinación y verdad en mi corazón, avanzo hacia lo desconocido, dispuesto a afrontar desafíos y lograr victorias. Mi destino estará moldeado por mi propia voluntad, guiada por la luz que llevo dentro de mí.

Soy Elius y esta es mi historia. Y con cada paso que doy, demuestro que nadie tiene derecho a decirme qué hacer. Soy el autor de mi propia narrativa, y será grandiosa y llena de luz.

# Glosario de familias de NightGlen

Glosario de las principales familias de la historia de "Las crónicas de Elia de Gareth":

The Shadowthorn, también conocido como "Shadow Thorns" de NightGlen;

1. M. Shadowthorn: El fundador del apellido Shadowthorn, que lleva consigo el legado del linaje mágico y la responsabilidad de proteger la magia contra la oscuridad.

2. Adelaide: La matriarca de la familia Shadowthorn, una bruja poderosa y sabia, madre de los hijos de la familia.

3. Darkthorn: El patriarca de la familia Shadowthorn, un hechicero hábil y protector, padre de los hijos de la familia.

4. Darius: el hijo primogénito de Adelaide y Darkthorn, cuya herencia mágica y destino están entrelazados con la lucha contra la oscuridad.

5. Elia: Miembro de la familia Shadowthorn a través de su matrimonio con Darius, trayendo consigo sus propias habilidades mágicas y sabiduría.

6. Orión: El hijo menor de Adelaide y Darkthorn, dotado de sus propios poderes mágicos y una perspectiva única.

7. Marcus Vladimir: hermano de Adelaide, que desempeña un papel importante en la familia Shadowthorn con su experiencia y sabiduría.

8. Julia: La hija primogénita de Vladimir y Verónica, una joven bruja aventurera cuyo deseo de explorar la alquimia y aprender nueva magia añade un elemento fascinante a la historia de Shadowthorn.

9. Elius: Hijo de Elia y Darius, un joven descendiente directo del linaje Shadowthorn y Gareth, cuyo destino y poderes mágicos se entrelazan con la lucha contra la oscuridad.

El Gareth de Grammaria;

1. Bryan Gareth: Hijo del hermano mayor de Claudius Gareth y un renombrado hechicero de la familia Gareth, conocido por sus excepcionales habilidades mágicas y sabiduría. Bryan es un líder respetado en las comunidades mágicas NightGlen y Grammaria.

2. Isadora Gareth: la esposa de Joe Gareth y una poderosa bruja de la naturaleza. Isadora es reconocida por su conexión con la naturaleza y su capacidad para manipular los elementos en sus hechizos.

3. Elia Gareth: Hija de Joe Gareth e Isadora Gareth, una hábil bruja que heredó los talentos mágicos de sus padres.

4. Eleonora Gareth: hermana de Joe Gareth y tía de Elia. Eleonora es una hechicera experimentada, conocida por sus habilidades en magia ritual y sus visiones proféticas.

5. D. Claudius Gareth: padre de Joe Gareth y Eleonora Gareth, y abuelo de Elia. Claudio era un poderoso hechicero y defensor de la justicia. Su sabiduría y liderazgo dieron forma a la familia Gareth a través de generaciones.

Espero que este glosario brinde una descripción más detallada de las familias Shadowthorn y Gareth, permitiendo una mejor comprensión de los personajes y su importancia dentro de la saga de "Las crónicas de Elia de Gareth".

# Epílogo

Al cerrar las páginas de "Las crónicas de Elia de Gareth", me dirijo con el corazón lleno de gratitud y reflexión a los lectores que se han embarcado en este viaje mágico.

Esta historia, que ahora llega a su fin en la primera temporada de la serie, fue una aventura de descubrimiento y crecimiento tanto para mí como para los personajes que cobraron vida en estas páginas. Cada palabra escrita fue un viaje a los rincones más profundos de la imaginación, donde la magia se mezcla con las complejidades de las relaciones familiares.

A lo largo de esta saga, los Shadowthorns y Gareth no han sido solo personajes de ficción; se convirtieron en compañeros de viaje, amigos que compartieron sus dolores, triunfos y descubrimientos. Espero que cuando lo leas sientas la misma conexión y cercanía con estos protagonistas que yo experimenté al crearlos.

La historia, como toda buena magia, está tejida con hilos de misterio, desafíos y un toque de encanto. Agradezco a cada lector por permitirme compartir este mundo imaginario, y espero que hayan encontrado en Shadowthorn un refugio tan especial como yo al crearlo.

Al equipo de Draft2Digital, cuyo incansable trabajo convirtió las palabras en un libro, expreso mi profundo agradecimiento. Sin su dedicado esfuerzo, esta historia no habría cobrado vida de la misma manera.

Aunque esta temporada llega a su fin, el universo Shadowthorn seguirá evolucionando y nuevos capítulos esperan ser desbloqueados. Vale recordar que los libros con las temporadas 1 a 6 ya están disponibles en D2D Print y en las tiendas asociadas Draft2Digital.

Gracias por ser parte de este viaje mágico, y que las historias que aquí compartimos sigan haciendo eco en sus corazones, inspirando nuevas aventuras y reflexiones.

Con sincera gratitud y alegría,

Antonio Carlos Pinto.

# Derecho autoral

El autor (Antonio Carlos Pinto) declara que los seudónimos adoptados, "Las crónicas de Elia de Gareth", gozan de garantías jurídicas, previstas en el artículo 19 del Código Civil brasileño, equivalentes a la protección atribuida al nombre civil, garantizando así el derecho a la conservación y gestión de este seudónimo.

**Libertad de expresión artística:**

De conformidad con el inciso IX del artículo 5 de la Constitución Federal de Brasil de 1988, la obra goza de la libertad de expresión del autor, abarcando actividades intelectuales, artísticas, científicas y comunicacionales. Por tanto, la producción narrativa presente en esta obra está libre de censura.

**Advertencia sobre coincidencias:**

Esta narrativa, perteneciente al género de ciencia ficción o fantasía, declina cualquier responsabilidad por similitudes con personas o hechos reales, reiterando que tales coincidencias reflejan exclusivamente el carácter imaginativo de la obra.

El autor le agradece su comprensión y respeto por los derechos de autor, esperando que la experiencia de lectura sea tan atractiva para el lector como lo fue para el escritor.

**Datos de la obra literaria:**

- Autor: Antonio Carlos Pinto
- Fecha de creación: 01/03/2024
- Nombre de la obra: Las crónicas de Elia de Gareth
- Volumen: 1er libro – El misterio de NightGlen
- Género: ficción fantástica
- Clasificación de edad: 16+.

**Firma digital del autor:**

Este documento fue firmado digitalmente por Antonio Carlos Pinto, de conformidad con el artículo 4 de la Ley N° 14.063, de 23 de septiembre de 2020, que establece que la firma del autor identifica la autoría de la obra intelectual.

La firma aplicada se configura como una firma simple, prevista en el art. 4to, inc. I de la citada Ley 14.063/2020, identificando a los suscriptores y asociando datos en formato electrónico del firmante. El lector podrá verificar la autenticidad e integridad de este documento a través de los servicios gubernamentales de validación de firma electrónica, según lo dispuesto por la ley.

**Aviso de créditos de imagen:**

Las crónicas de Elia de Gareth es una obra de ficción fantástica, por lo tanto, cualquier parecido con personas reales es pura coincidencia.

El diseño de portada del libro "Las crónicas de Elia de Gareth" fue creado originalmente por Antonio Carlos Pinto, utilizando la tecnología DALL-E 3 de [1]la herramienta Bing Create Images de Microsoft [2], siguiendo credenciales de contenido basadas en el estándar C2PA (Content Authenticity Protection Alliance).

Además, el autor utilizó ficción y fantasía para crear la imagen de portada usando "Bing Create Images" y también

---

1.    https://openai.com/dall-e-3

2.    https://www.bing.com/images/create?FORM=GENILP

adaptó textos usando la herramienta "Canva" bajo un Acuerdo de Licencia Multimedia Gratuita [3].

**Licencia de uso para el lector:**

Al comprar o acceder a la obra "Las crónicas de Elia de Gareth", el lector acepta los siguientes términos y condiciones establecidos por Antonio Carlos Pinto, titular de los derechos de autor de esta creación literaria:

1. Uso personal: Este trabajo está destinado al uso personal del lector. Queda estrictamente prohibida cualquier reproducción, distribución o uso comercial sin la autorización expresa del autor.

2. Permiso para citar: Se permite al lector citar extractos de la obra con fines de crítica, análisis o discusión académica, siempre y cuando se acredite debidamente la fuente.

3. Sin cambios: No se permite al lector realizar cambios, modificaciones o adaptaciones a esta obra sin la autorización previa por escrito del autor.

4. Prohibido compartir sin autorización: El lector acepta no compartir, distribuir o poner a disposición este trabajo de forma no autorizada, ya sea gratuita o paga.

5. Solicitud de autorización: Cualquier solicitud de uso que no esté expresamente permitido por esta licencia debe enviarse al autor vía correo electrónico a acpinto@duck.com .

6. Protección contra la Piratería Digital: El lector se compromete a no participar ni facilitar la piratería digital de esta obra, siendo consciente de que tal práctica viola los derechos de autor del autor y está sujeto a las medidas legales previstas en el artículo 184 del Decreto Ley N° 2.848, de diciembre de 1940, brasileña, y también la Ley de Derecho de

---

3.    https://www.canva.com/pt_pt/politicas/free-media/

Autor del Milenio Digital de los Estados Unidos de América y la Ley Hadopi francesa.

7. Limitación de la Licencia: Esta licencia es válida exclusivamente para quienes adquirieron legalmente el libro electrónico en formato digital. Si se obtiene por otros medios, el lector no está autorizado a ninguno de los artículos de esta licencia, comprometiéndose, al aceptar esta licencia, a respetar los derechos de autor del autor. El incumplimiento de estos términos puede dar lugar a acciones legales.

Agradecemos su comprensión y respeto por los derechos de autor y le deseamos una agradable experiencia de lectura.

Tuyo sinceramente,

Antonio Carlos Pinto

Autor de "Las crónicas de Elia de Gareth".

# Sobre el Autor

Soy Antonio Carlos Pinto, un escritor brasileño independiente, impulsado por el fuego ardiente de la pasión literaria. Con algunos libros escritos a lo largo de los años, mis raíces se profundizan en Maranguape, Ceará, en el año 1983, donde me alimentó el linaje "Pitaguarys".

Para crear mis libros de ciencia ficción y fantasía, forjé mi propio estilo de escritura (Sombroespério), a través de la fusión entre gótico, romántico, modernista y posmodernista, desafiando expectativas con narrativas que involucran y cautivan. Además, tracé el camino de "Sombroespério", entrelazando la elocuencia shakesperiana con la intensidad del neorromanticismo.

Mi viaje como escritora está tejido con hilos de pasión, romance y misterio, tenacidad y creatividad ilimitada. Cada historia que cobra vida bajo mi pluma está imbuida de una energía única, a veces nacida del dolor, de la vivencia o de vivencias reales o ficticias, una ventana abierta a un nuevo universo. Y, además de las letras, busco inspiración en las líneas de la pintura para dar forma visual a las emociones más intrincadas. ¡Espero poder compartir más de este viaje contigo y el mundo!

# Don't miss out!

Visit the website below and you can sign up to receive emails whenever Antonio Carlos Pinto publishes a new book. There's no charge and no obligation.

https://books2read.com/r/B-A-RODAB-MRNAD

BOOKS 2 READ

Connecting independent readers to independent writers.

Did you love *Las crónicas de Elia de Gareth*? Then you should read *La Hechicera de Shadowthorn 2*[1] by Antonio Carlos Pinto!

Bienvenido a Nightglen, un lugar lleno de misterios relacionados con Shadowthorn.

Vea antiguas residencias de piedra, con techos que casi tocan el cielo oscuro. El tímido sol a menudo se esconde detrás de espesas nubes, que no recuerdan en absoluto la vivacidad de Grammaria, donde mi madre vino en busca de una nueva vida.

Llena de valor, llegó a este misterioso pueblo. ¿Qué secretos esconde Nighlen? ¿Qué historias evoca tu pasado?

---

La escuela de magia, orgullo de esta tierra, exige ahora mi valor. En los pasillos se formaron vínculos y surgieron desafíos que dieron forma al destino que se trazó.

The Shadowthorn, un nombre enmarcado en el misterio, imposible de ignorar. Veo este legado con pesar.

Mi abuelo Gareth, un hombre de profundos misterios, guarda secretos que anhelo revelar. El vecino, cuyos ojos sondean siempre el alma de mi madre, será más que un espectador oscuro y lleno de muerte.

Si tienes el coraje de emprender este viaje entre la luz y la oscuridad, puedo guiarte por cada rincón de esta enigmática ciudad, revelando lo que esconden las sombras.

Elius Daarzak, te invito a explorar descubrimientos y enfrentar desafíos en esta era de magia y enigmas del pasado.

En cuanto al futuro, no hay claridad. ¿Seré consumido como mi padre o el amor será mi bálsamo, como desea mi madre? El destino es una página en blanco, lista para ser llenada con los colores de la aventura... o del terror, si tienes el coraje de enfrentarte a los misterios de la familia Shadowthorn...

# Also by Antonio Carlos Pinto

**A Feiticeira de Shadowthorn**
A Feiticeira de Shadowthorn
La Hechicera de Shadowthorn
Die Zauberin des Schattendorns
A Feiticeira de Shadowthorn


**An Cailleach de Shadowthorn**
An Cailleach de Shadowthorn
An Cailleach de Shadowthorn
An Cailleach de Shadowthorn
An Cailleach de Shadowthorn
An Cailleach de Shadowthorn
An Cailleach de Shadowthorn 6


**As Crônicas de Elia de Gareth**
As Crônicas de Elia de Gareth

**Az árnyékboszorkány**

Az árnyékboszorkány


**Čarodějnice ze Shadowthornu**

Čarodějnice ze Shadowthornu


**De heks van Schaduwdoorn**

De heks van Schaduwdoorn


**Der Schatten der Zeit**

Der Schatten der Zeit


**Fragmentos do tempo**

Retrocognição


**Fragments of time**

Retrocognition (Fragments of time)


**Heksen fra Skyggetorn**

Heksen fra Skyggetorn

**I Love Mariya Iris**
The Letters of Mariya Iris
Die Briefe von Mariya Iris

**Império de Truvok**
Realidades Alteradas
Altered Realities
Veränderte Realitäten
Realidades Alteradas

**La Hechicera de Shadowthorn**
La Hechicera de Shadowthorn 2
La hechicera de Shadowthorn 3
La hechicera de Shadowthorn 4
La Hechicera de Shadowthorn 6

**Las crónicas de Elia de Gareth**
Las crónicas de Elia de Gareth

**La sombra del tiempo**

La sombra del tiempo


**La sorcière de Shadowthorn**
La sorcière de Shadowthorn
La sorcière de Shadowthorn 2
La sorcière de Shadowthorn 3
La sorcière de Shadowthorn - L'origine du mal
La Sorcière de Shadowthorn


**La teoría de los viajes en el tiempo**
La teoría de los viajes en el tiempo a través de la confluencia de
la relatividad y la astrofísica


**Maya & Alex**
Maya & Alex And the Mechanized Sun
Maya & Alex und The Mechanized Sun
Maya y Alex y el Sol Mecanizado
Maya & Alex et le soleil mécanisé
Maya & Alex Ja koneistettu aurinko
Maya & Alex og The Mechanized Sun
Maya & Alex Agus an Ghrian Meicnithe
Maya & Alex dhe Dielli i Mekanizuar
Maya & Alex და მექანიზებული მზე
Maya & Alex Dhe dielli i mekanizuar
Maya & Alex och den mekaniserade solen
Maya e Alex e il sole meccanizzato

Maya i Alex oraz Zmechanizowane Słońce0
Maya & Alex και ο Μηχανοποιημένος Ήλιος
Maya & Alex a Mechanizované slnko


**Poesia Amish**
Poesia Amish


**Ravinesdale**
A Sombra do Tempo


**Seraphis**
The Medium Seraphis and The Fifth Dimension
Der mittlere Seraphis und die fünfte Dimension


**Shadowthornin noita**
Shadowthornin noita
Shadowthornin noita 2
Shadowthornin noita 3
Shadowthornin noita 4


**Stellar Exodus**
Stellar Exodus and the Lost Dimension

Зоряний вихід і загублений вимір

## The Chronicles By Elia Of Gareth
The Chronicles By Elia Of Gareth

## The Elia Chronicles le Gareth
The Elia Chronicles le Gareth

## The Princess and the Fool
The Princess and the Fool

## The seven kingdoms
Mallacht - The seven kingdoms

## The Shadow of Time
The Shadow of Time

## The Witch of Shadowthorn
The Witch of Shadowthorn
❖ ❖ ❖ ❖ ❖ ❖ ❖ ❖ ❖ ❖
The Witch of Shadowthorn (Twos) Remake

Die Zauberin des Schattendorns 2
The Witch of Shadowthorn 2
The Witch of Shadowthorn - Heirs of Tomorrow
The Witch of Shadowthorn 4
The Witch of Shadowthorn 5
Die Hexe von Shadowthorn
The Witch of Shadowthorn


**Trollkvinnen fra Shadowthorn**
Trollkvinnen fra Shadowthorn
Trollkvinnen fra Shadowthorn 2
Trollkvinnen fra Shadowthorn 3
Trollkvinnen fra Shadowthorn 4
Trollkvinnen fra Shadowthorn


**T.W.O.S**
Η Μάγισσα του Shadowthorn (ΔΥΟ) Ξανακάνω
A Bruxa de Shadowthorn (Twos) Remake


**Vještica iz Shadowthorna**
Vještica iz Shadowthorna


**Wastervale**
Wastervale - Floresta Sombria

Wastervale – Der dunkle Wald
Wasttervalle - Bosque oscuro


**Wastervalley**
Waster Valley - The Dark Forest


**Η Μάγισσα του Shadowthorn**
Η Μάγισσα του Shadowthorn


**Вещицата от Shadowthorn**
Вещицата от Shadowthorn


**Standalone**
Maya & Alex: E o Sol Mecanizado
O Médium Seráfis e A Quinta Dimensão
Revoar Dos Pássaros Livres
Flight of Free Birds
Êxodo Estelar e A Dimensão Perdida
Teoria da Viagem no Tempo através da Confluência da
Relatividade e Astrofísica
As Cartas de Mariya Iris
Time Travel Theory through the Confluence of Relativity and
Astrophysics
Le vol des oiseaux libres

Éxodo estelar y la dimensión perdida

# About the Author

Antonio Carlos Pinto es un escritor apasionado por el oficio de crear cuentos, novelas y poesías de ciencia ficción y fantasía. Su vocación por la escritura surgió desde niño y se consolidó con el paso de los años a través de mucho estudio y dedicación a la escritura.